KB013597

빛깔있는 책들 103-35

운주사

글/이태호, 천득염, 황호균 ●사진/유남해, 황호균

ᄡᄂ대원사

이태호(전남대학교 교수·미술사)

홍익대학교 회화과와 같은 대학 대학
원 미학·미술사학과를 졸업하였다.
국립중앙박물관과 국립광주박물관의
학예연구사를 거쳐 지금은 전남대학
교 사범대학 미술교육과 교수로 있
다. 그 동안 「조선 후기 진경산수화」
「고구려 고분 벽화」 「겸재 정선의
가계와 생애」 「김홍도의 진경산수」
「다산 정약용의 예술세계」 「1940년
대의 친일 미술」 등의 논문과 평론집
『우리 시대, 우리 미술』을 펴냈다.

천득염(전남대학교 교수·건축사)

전남대학교 건축공학과와 같은 대학
대학원을 졸업하고 고려대학교 대학
원에서 박사학위를 취득하였다. 지금
은 전남대학교 공과대학 건축공학과
부교수로 있다. 그 동안 「백제계 석탑
의 조형 특성과 변천에 관한 연구」
「실상사 3층석탑의 조형비에 관한
연구」 「운주사 석탑의 조형적 특성에
대한 고찰」 등의 논문과 『전남의
전통 건축』 등의 단행본을 집필하
였다.

황호균(전남대 박물관 학예연구사·
미술사)

전남대학교 사학과를 졸업하고 전남
대학교 박물관 학예연구원을 거쳐
지금은 학예연구사로 있다. 그 동안
운주사의 2·3·4차 발굴과 연곡사
시굴조사의 연구원으로 현장에 상주
하였고 「운주사 불상조각의 형식적
특징과 편년 고찰」 「연곡사의 불교
유적·유물」 등의 보고서와 「전남지역
의 괘불에 대한 일고찰」 「선암사
불교 회화의 연구」 등의 논문을 발표
하였다.

유남해(한국정신문화연구원 사진
기자)

『진경산수화』 『한국전통회화』 『조선
시대고문서』 『무등산』 등 많은 도판
사진집을 제작하였고 한국관광사진콘
테스트에서 준우수상을 수상하였다.
현재는 한국정신문화연구원 민족문화
대백과사전 편찬부에 근무하면서
포토에세이 등을 통해 활약하고 있
다.

운주사

운주사

운주사 남쪽 골짜기의 모습 공사바위에서 남쪽으로 내려다본 모습으로 좌우로 딱 벌어진 산등성이와 그 아래 계곡 평지에 1백여
분의 돌부처와 30여 기의 돌탑들이 우뚝우뚝 서 있어 마치 야외 법당을 연상시킨다. 현대적 미감으로 볼 때도 자연과 조형물이
절묘한 조화를 이룬 야외 조각 전시장으로서 손색이 없다.

좌절된 불사의 현장

도선(道詵)의 창건 설화가 신비감을 부추긴 불적

'다탑봉(多塔峰)의 천불천탑(千佛千塔)'으로 알려져 온 화순 운주사의 불교 유적은 전라남도 화순군 도암면 대초리와 용강리 일대에 자리하고 있다. 이 지역은 무등산의 한 줄기로 해발 1백여 미터의 야트막한 야산이며 남북 방향으로 뻗은 두 산등성이와 계곡에 1백여 분의 돌부처와 30여 기의 석탑들이 여기저기에 널려 있다.

이처럼 운주사 천불천탑은 한 계곡에 수많은 석불과 석탑이 무리지어 있다는 점에서나 토속적인 조형성으로 인하여 많은 사람들에게 신비스러운 곳으로 주목을 받아 왔다. 하지만 미술사학계에서는 문헌 자료가 부족하고 조각이 촌스럽다는 이유만으로 개설서에조차 언급하지 않았다. 다행히 전남대학교 박물관에서 1984년부터 1991년까지 네 차례에 걸쳐 실시한 발굴 조사와 두 차례의 학술 조사로 부분적이나마 그 현황을 알 수 있게 되었다. 그렇지만 아직도 누구나 공감할 수 있는 자료가 발견되지 않아 조성 배경에 대한 구체적인 이해는 충분치 못한 형편이므로 운주사 천불천탑은 여전히 불가사의한 유적인 셈이다.

학계의 조심스러운 연구 태도와는 달리 문인들은 문학이라는 이름으로 운주사를 끌어들였다. 황석영은 『장길산』에서 관군에 참패한 길산이

운주사 북쪽 골짜기의 모습

능주로 숨어든 것처럼 암시적으로 유도하여 소설 후미에 운주사를 삽입하였다. 여기에서는 길산이 진도 등 전라도 해역의 섬들이나 나주 일대에서 일어난 노비들과 함께 도읍지가 바뀌는 새 세상을 꿈꾸며 천불천탑을 세우려다 실패한 통한의 장소 곧 역모의 땅으로 설정했다. 또 최근에 발표된 이재운의 『소설 토정비결』에서는 황진이의 미모에 무너졌다는 지족 선사를 급기야는 천불천탑을 깎고 있는 도인으로 묘사하고 말았다. 이러한 소설가들의 문학적 상상력 덕택에 운주사는 여러모로 유명해졌다. 하지만 장편소설 『장길산』이 조선 후기인 18세기 사회를 배경으로 한 것임에도 불구하고 고려 때에 조성된 천불천탑을 끌어들인 것은 『장길산』이 갖는 우리 시대 문학사적 성과에 비한다면 흠집이 아닐 수 없다. 더구나 16세기의 지족 선사를 등장시킨 『소설 토정비결』은 한술 더 떠서 그야말로 상상의 나래를 펼친 것이라 하겠다.

운주사, 그 영원한 화두

운주사의 불적은 많은 탑과 불상이 한 지역에 빽빽이 들어서 있다는 점에서 경주의 남산과 자주 비교된다. 그렇지만 운주사의 불상과 탑은 남산처럼 여러 계곡에 시기가 다른 별개의 불사로 이루어진 유적이 아니어서 분명히 구별된다. 1백여 분의 돌부처와 30여 기의 석탑이 한 계곡 여기저기에 널려져 마치 석불과 석탑의 야외 전시장을 방불케 하는데 이는 우리나라 불교 미술사에서 그 유래를 찾기 힘든 희한하고 불가사의한 유적이다. 굳이 "천불천탑을 세우려다 새벽 닭이 울어 공사를 중단했다."는 도선의 설화를 들먹이지 않더라도 운주사는 미완의 도량(道場)으로서 영원한 화두(話頭)가 아닐 수 없다.

기록과 전설에 스민 발자취

천불천탑으로 불리는 운주사의 불적에 대한 문헌 기록은 단편적인 것인데 대체로 기본틀은 『동국여지승람(東國輿地勝覽)』의 기록과 유사

운주사의 옛모습 북쪽에서 바라본 논밭과 벌거벗은 산을 1910년대에 찍은 사진으로 『조선고적도보』에 실려 있다. 현재의 법당 위편 비탈진 곳에 원반형 3층석탑이 서 있었는데 지금은 찾을 길이 없다.

하다. 이에 덧붙여 『동국여지지』의 혜명이 조성했다는 기록은 운주사 불적의 창건 배경에 대한 이해의 폭을 넓혀줄 것이다.

운주사의 불교 유적은 일찍이 일본 학자들에 의해 소개된 바 있고[1] 여러 사람들에 의해 유적의 현황이나 성격 등에 대한 개략적인 접근이 이루어져 왔다.[2] 또한 네 차례에 걸쳐 옛 절터에 대한 발굴 조사가 이루어져[3] 그 뒤로 사찰의 이름, 절터의 크기, 건물터의 위치와 중창 과정, 초창의 시기 등에 관한 접근이 어느 정도 가능하게 되었다. 하지만 운주사는 아직도 통일신라 말의 선승 도선이 하룻밤 사이에 천불천탑을 쌓았다는 불가사의한 전설 속에 가려진 신비스러운 유적으로 남아 있다.

사찰의 초창기를 이해하는 과정에서도 전설처럼 도선에 의해 이루어졌다는 주장에서부터[4] 고려 초기나[5] 12세기[6], 11세기 초반까지 올라갈 수 있다는[7] 그야말로 여러 가지 견해가 제기되었다. 또 그 창건의 주체에 대해서도 통일신라 말에 능주 지방의 호족 세력에 의해서 이루어졌다고 보기도 하고[8] 전설대로 도선 국사에 의해 비보사찰로 건립되었으리라는 주장이 있는가 하면 그보다는 조금 늦게 능주 지방에 이주해 온 이민족 집단에 의해 개창되었다고 말하는 이도 있다.[9] 게다가 미륵의 혁명 사상을 믿는 천민들과 노비들이 들어와 천불천탑과 사찰을 만들어 미륵공동체 사회를 열어 놓았던 것으로 추정하는 이색적인 주장까지[10] 등장하였다. 더욱이 운주사의 성격에 대해서조차 불교 사원이라기보다는 도교 사원이었다는 주장,[11] 밀교 사원이었다는 주장,[12] 민간 신앙의 기복처라는 주장도 나왔다.[13] 또 운주사 골짜기는 불교 사원의 경내이기보다는 천민과 노비들의 해방 구역(코뮌)이 되는 곳으로 세계 역사상 유례가 드문 중세시대 노예의 자유민, 자치 구역의 역사적 유적지라는 주장까지도[14] 등장하여 운주사의 천불천탑은 더욱 더 미궁 속으로 빠져들고 말았다.

최근에 의상(義湘)의 법성게도(法性偈圖)의 밀교적, 신앙 의례적 및 민속적 전개의 소산이라는 새로운 견해와[15] 인근 쌍봉사에 주석한 만전

(뒷날 최항)이 몽고 침략을 물리칠 영구적인 석조(石造) 백고도량(百高道場)을 베풀려고 하였다는 주장이[16] 제기되기도 하였으나 실증 단계에 가서는 여전히 추론에 불과한 실정이다. 이런 가운데 전남대학교 박물관에서 여러 분야의 전문 연구자들이 참여하여 종합적인 학술 조사 보고서를 펴내 연구에 도움을 주고 있다.[17]

못생긴 돌부처와 돌탑들이 꽉 들어찬 운주사 계곡

운주사의 돌부처는 하나하나 뜯어 보면 한결같이 못생겨서 부처의 위엄이라고는 전혀 찾아볼 수가 없다. 눈, 코, 입은 물론 신체 비례도 제대로 맞지 않으며 일반적으로 정통 불상이 지닌 도상에서 크게 어긋난 파격적인 형식미를 띤다. 석탑도 마찬가지이다. 자연석 기단과 특이한 장식 무늬, 원반형이나 오가리 같은 옥개석을 가진 석탑은 물론 판석을 다듬지 않고 그대로 얹어 쌓은 돌탑에서 제작자의 개성이 강하게 느껴진다. 이처럼 정형이 깨진 파격미, 힘이 실린 도전적 단순미, 친근하면서도 우습게만 느껴지는 토속적인 해학미와 아울러 그것들이 흩어져 있으면서도 집단적으로 배치된 점이 운주사 불적의 신선한 감명이며 특별한 매력이다.

이러한 양식적 독특함은 왠지 역사적으로 소외된 전라도 사람들과 오랫동안 함께 해온 정서를 머금고 있는 것 같다. 게다가 이러한 형식미는 1980년 5월 광주민중항쟁을 치른 뒤 더욱 강렬해진 전라도 사람들의 저항 의식과 변혁 열망을 대변하거나 좌절된 심정을 달래 주는 듯하다. 그 집단적이면서 토속적인 단순미는 전통적인 민중성의 전형으로서 1980년대 초반에 문예 창작인들의 관심을 끌었다. 운주사를 소설의 마무릿감으로 다룬 황석영의 『장길산』이 바로 그 시발인 셈이다.

노령의 한 줄기인 무등산이 국사봉과 화악산으로 뻗어 내려가다 보면 운주산 다탑봉에 이른다. 양쪽으로 벌어진 낮은 구릉(非山非野)의 산등성이 사이, 계곡 여기저기에 불상과 탑이 우뚝우뚝 서 있다. 운주사의

탑과 불상이 한데 어우러진 모습

불상은 군상이나 단독상이 각각 독립된 구조라서 한 무더기 한 무더기가 마치 야외 법당 같은 성격을 띤다. 어떤 돌부처는 몇 분씩 무리지어 암벽에 기대기도 하고(여섯 개의 암벽 불상군) 돌집에 들어앉기도 하며(석조 불감 안의 두 석불 좌상), 암벽 면에 새긴 마애불이 있는가 하면 산 정상에 나란히 누워 있는 석불 좌상과 입상을 새긴 뒤 미처 일으켜 세우지 못한 미완성 돌부처(일명 와불) 등이 파노라마처럼 펼쳐져 색다른 맛을 준다.

이들 운주사의 석불은 입상과 좌상들로 여러 형태의 손 자세(手印)를 취하고 있다. 항마인이나 아미타구품인식 수인, 합장인, 가사에 가려진 채 가슴에 두 손을 모은 수인이나 소매를 교차하는 도포식 수인 등 다채롭고도 변형이 심하다.

이러한 수인은 특히 최근에 본격적으로 조사된 지리산 정령치 마애불상군 가운데 주존과 양식적인 면에서 유사하여 주목을 끈다. 정령치 마애불에서 발견한 '비로자나불(毘盧遮那佛)' '○○명월지불(○○明月智佛)'이라는 명문은 운주사 불상의 명호 문제를 해결하는 데 더없이 귀중한 자료이다. 오른손은 가슴에 얹고 왼손은 배에 댄 모습의 불상이 '비로자나불'이고 도포식으로 배 부근에서 소매를 서로 끼우는 수인의 불상이 '○○명월지불'이다. 비로자나불은 법신불로서 우리나라에서는 9세기 이후에 유행하기 시작하여 이후 지속적으로 등장하는 도상이다. ○○명월지불이라는 부처의 명칭은 완전한 판독이 불가능하다. 정령치 마애불상이 있는 절터도 운주사와 마찬가지로 도선 국사가 창건하였다고 하니 흥미롭다.

'운주사', 미완의 불사

운주사는 그 표기가 運舟寺, 運柱寺, 雲柱寺, 雲住寺 등으로 쓰인다. 이와 같은 동일 이름의 다양한 표기는 조선 후기라는 왕조 말기적 분위기 속에서 풍수지리사상(도참설)에 입각한 행주론(行舟論) 곧 한반도를

배 형국으로 보고 운세가 일본으로 떠내려 가는 것을 막고자 하는 풍수
론에서 비롯된 것이다. 1481년에 편찬된『동국여지승람』의 기록 '운주
사 재천불산 사지좌우산척 석불석탑 각일천 우유석실 이석불 상배이좌
(雲住寺 在千佛山 寺之左右山脊 石佛石塔 各一千 又有石室 二石佛 相背以
坐)'나 발굴 조사된 고려시대 암키와의 명문 '운주사환은천조(雲住寺丸
恩天造)'에 의해 확인되는 본래의 절 이름은 雲住寺가 분명하다.

운주사의 불적 가운데 신앙적 중심은 마애 여래 좌상과 와불이라
불리는 석불 좌상과 입상 및 돌집 모양의 석조 불감 그리고 칠성바위이
다. 두 와불은 13미터가 넘는 거대한 암반에 부처를 새기고 떨어 내는
공정을 채 마치지 못한 미완성 작품으로 운주사 석불의 제작 방법에
대한 추측을 가능하게 한다. 그리고 와불 입구에 서 있는 석불 입상(시
위불·머슴부처)의 채석 자리는 와불 옆임이 밝혀졌다.

운주사를 언급한『동국여지승람』이나 그 밖의 문헌에서 늘 다루어지
는 것은 돌집에 서로 등을 대고 앉은 모습의 두 석불이다. 이는 석조
불감이 운주사의 불적 가운데 가장 중심적인 신앙처로 주목을 받았다는
증거이다. 이러한 사실은 사역 내의 중앙에 위치하는 점이나 돌로 만든
전각 안에 두 부처를 안치하는 정성을 보아서도 알 수 있다. 현재 많은
부분이 시멘트로 보수되어 있어서 해체 복원하는 불사가 무엇보다도
시급한 실정이다.

이들 석불에 비하여 사람들의 발길이 뜸하고 잘 언급되지 않는 숨은
중심 부처는 대웅전 뒤켠에 있다. 도선 국사가 천불천탑의 공사를 진두
지휘하였다고 전해져 오는 공사바위에서는 운주사 불적과 일대의 풍경
을 시원스레 관망할 수 있는데 그 바로 아래 암벽에 마애 여래 좌상이
자리하고 있다. 얕은 부조의 선으로 새긴 마애불은 운주사 계곡 안의
모든 돌부처와 석탑, 칠성바위, 절로 들어오는 신도들을 한눈에 바라보
고 있다. 계곡에 배치된 돌부처 가운데 대형의 주존 석불 좌상들과 유사
한 자태의 이 마애불은 이목구비와 화염무늬 광배 등이 뚜렷하므로 다른

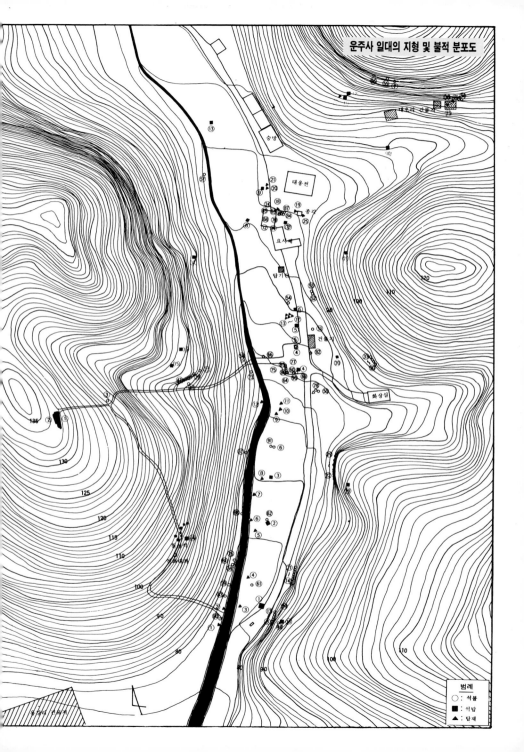

운주사 일대의 지형 및 불적 분포도

석불에 비하면 제법 부처로서의 형식미도 갖추었다고 할 수 있다. 지금은 나무가 우거져 시야를 가리고 있지만 마애불 조성 당시에는 천불천탑의 불사를 조망할 수 있는 위치에 이 부처를 새겼을 것으로 추측된다. 어찌 보면 이 마애불은 좌우 계곡의 석불군을 협시로 두르고 경내를 굽어보는 위치상의 중심 부처로서 운주사의 신비를 푸는 새로운 해석을 가능케 하리라 보여진다.

운주사의 석탑은 좌우 산허리에 각 1열 또 계곡 평지에 1열로 모두 3열을 이루며 우뚝 서 있다. 전통적인 방형 옥개석의 7층 및 9층석탑과 유사한 예가 없는 독특한 모양의 석탑들이 눈길을 끈다. 정형에서 벗어난 원반형 옥개석 석탑(연화탑) 및 원구형 옥개석 석탑(오가리탑)은 이국적인 정취마저 풍긴다. 게다가 다듬지 않은 자연석을 그대로 얹어 만든 석탑(동냥치탑·거지탑)이나 실패꾸리 모양의 석탑 등은 현대인의 감각으로 보아도 대단한 착상이다. 탑신에는 의미를 알 수 없는 몇 가지 문양이 새겨져 있다. 네 잎의 꽃무늬나 마름모꼴 무늬, 〈 X 〉〈 X X 〉자형의 무늬, 빗줄기 같은 수직선 무늬들은 다른 탑에서 볼 수 없는 문양이다. 최근에 이러한 문양의 의미에 대해서 밀교의 수행법을 나타내는 일종의 만다라 양식을 갖추고 있다는 주장이 제기되기도 하였으나 선뜻 수긍이 가지 않는 대목이 많다.

특히 주목할 만한 사실은 운주사의 석탑에서도 사리공이 발견된다는 점이다. 몇 년 전까지만 해도 운주사의 탑에 과연 사리 장치가 들어 있을까 하는 의문이 제기되기도 하였다. 보통 한 사찰에 1~2기 정도의 탑이 존재하는 것이 일반적인 경향인 데 반해 운주사의 경우는 유별난 까닭이다. 그러나 1989년의 조사에서 사리공을 2기나 발견하는 성과를 거둠으로써 운주사의 석탑이 일반적인 불탑의 기능과 같은 것임을 확인할 수 있었다.

운주사의 석탑

석탑의 현황과 명명(命名)

　1941년도의 조사 집계에 따르면 운주사에는 22기의 석탑이 있었다고 하나 1981년도의 조사에서는 18기로 줄어들어 현재의 상태를 유지하고 있다. 그러나 필자가 조사한 바로는 석탑 형식을 갖춘 것이 18기, 석주형(石柱形)으로 1층 탑신만 남은 것이 3기로 모두 21기의 석탑이 현존하고 있다. 이들 석주형 3기를 석탑으로 볼 것인가 하는 것이 문제가 될 수 있겠지만 주민들의 말에 의하면 어릴 적에는 이들 석주형 1층 탑신 위에 지붕 모양을 한 돌이 얹혀 있었다고 하니 비록 현재는 석주형 탑신석만 남아 있을지라도 이들을 석탑으로 간주하여야 할 듯하다. 또한 도처에 폐탑(廢塔)들의 부재인 옥개석(屋蓋石)과 탑신석(塔身石), 상륜(相輪) 등이 산재되어 있어 천불천탑의 옛모습을 짐작케 하고 있다.

　운주사의 석탑은 동일한 장소에 유사한 탑들이 밀집된 상태로 건립되어 있기 때문에 각각의 탑에 이름을 붙이기가 어렵다. 따라서 편의상 21기의 석탑에 순차적인 번호를 붙여 부르고자 한다. 곧 진입로를 따라 남에서 북으로 순서를 정하여 산곡(山谷)의 평지를 우선적으로 하고 와불(臥佛)이 있는 왼쪽 산록을 두 번째로, 입구에서 보아 오른쪽의 산록에 있는 것들을 맨 나중으로 하여 번호를 붙였다.

계곡 여러 탑들의 모습

또한 방형탑, 원형탑, 모전탑, 석주형 폐탑 등 탑의 외형에 따라 명칭을 달리하여 명명하였다. 곧 진입로를 들어서서 맨 처음에 있는 탑을 배치번호 1:(방형)9층석탑이라 하고 이 탑보다 약간 북쪽에 있는 것을 배치번호 2:(방형)7층석탑이라 하였다. 이렇게 하면 산곡의 평지에 있는 탑이 13기이고 좌측 산록에 4기, 우측 산록에 4기 등 모두 21기의 석탑이 위치하고 있어 고유의 명칭과 순번이 정해질 수 있다.[18]

석탑의 형식 분류

석탑의 형식은 재료, 옥개와 탑신의 평면 형태, 양식상의 특성 등에 의해 분류될 수 있다. 운주사의 석탑은 옥개와 탑신의 평면 모양으로 보아 그 형식을 방형 석탑과 원형 석탑으로 나눌 수 있고 재료로 보아 모전(模塼) 계열 석탑으로 나눌 수 있다. 이 밖에 기단 위에 기다란 석주형(石柱形) 탑의 부재는 석주형 폐탑이라는 항목으로 말미에 모았다.

방형 석탑(方形石塔)

이 석탑 형식은 한국의 전형적인 석탑 형식으로 탑신과 옥개가 방형을 이룬 것을 말한다. 이들 방형 석탑들은 다시 옥개석의 형태가 '신라계 석탑'의 옥개석처럼 급한 낙수면에 두툼하고 옥개폭이 좁은 둔중한 모습과 '백제계 석탑'의 옥개석처럼 완만한 낙수면에 얇고 넓으며 평평한 모습을 한 석탑으로 나눌 수 있다. 물론 방형 석탑에는 모전 석탑도 포함되지만 여기서는 따로 분류하였다. 이 형식에 속한 탑은 11기이다.

원형 석탑(圓形石塔)

이 형식은 전형적인 방형탑에 대해 이형적(異形的)인 탑으로 탑신이나 옥개석이 원형을 이룬 것을 말한다.

원반형 다층석탑 일명 연화탑 또는 호떡탑이라 불리며 보물 제789호로 지정되었다. 탑신과 옥개가 원반형으로 우리나라의 탑에서는 유래가 없다.

원반형 다층석탑 입면도

이들 원형 석탑들은 다시 원구형(圓球形)과 원반형(圓盤形)으로 구분할 수 있다. 곧 옥개석이 원구에 가까운 주판알 또는 떡시루 형태의 탑이 있으며 옥개석이 얇고 넓은 원반 모양을 한 탑이 있다. 원형 석탑은 한국 석탑에서는 송의 영향을 받아 고려 후기에 나타나는 희귀한 유구이다. 이러한 형식에 속한 탑은 4기이다.

모전(模塼) 계열 석탑

이 형식은 벽돌로 내쌓기와 들여쌓기를 하면서 옥개석을 형성한 경주 분황사(芬皇寺) 모전 석탑으로 대표되는 전탑 형식을 모방하고 있으나 실제 모습은 의성(義城) 탑리 석탑(塔里石塔)과 흡사한 것으로 단일 석재를 전탑과 같이 모각(模刻)한 것이다. 모전 석탑 형식은 분황사 모전 석탑에서 시작되어 의성 탑리 석탑을 거쳐 통일신라시대 이후 경주 지방을 중심으로 서악동(西岳洞) 3층석탑, 남산 용장사계(茸長寺溪) 폐탑(廢塔), 남산리(南山里) 동(東) 3층석탑 등이 건립되었다. 그러나 백제의 옛땅인 충청, 전라 지방에서는 월남사(月南寺) 터와 이곳 운주사에서만 그 예를 찾을 수 있을 뿐이다.

운주사의 대웅전 앞마당에 위치한 모전 석탑은 벽돌과 같은 조그마한 석재로 옥개석을 형성한 것이 아니라 1매의 석재로 벽돌의 내쌓기와 들여쌓기를 하여 층단을 이룬 것으로 양식적인 조형(祖形)은 월남사지 모전탑(月南寺址模塼塔)에서보다는 오히려 신라의 모전탑에서 찾아야 할 것이다. 이러한 형식에 속하는 탑은 2기이다.

석주형(石柱形) 폐탑(廢塔)

이 형식은 두툼한 1매석으로 지대석을 놓고 그 위에 방형과 원형의 중간에 가까운 거친 석재를 기다란 기둥 형식으로 세우고 다시 그 위에 옥개석과 비슷한 석재를 얹은 모습이다. 이 옥개석 위에는 다시 새로운 층을 올려 놓을 만한 방형의 공간이 있고 주변에 현재 올려져 있는 옥개

탑과 함께하는 운주사의 겨울 풍경

석보다는 작은 옥개석이 버려져 있어 3층 정도의 탑이었을 것이라 추정된다.

만약 이것을 석탑으로 본다면 기단이 없고 층수도 분명치 않아 어색하고 특이한 형태이다. 이를 석탑으로 단정할 수는 없으나 석탑이라면 그 위에 하나 또는 두 개의 층이 더 있었을 것이고 옥개석이나 탑신도 원반형이나 방형이었을 것이다. 이러한 형태의 탑은 4기이다.

석탑의 구성 요소

기단부(基壇部)

운주사 석탑은 대부분의 경우 석탑의 기단다운 기단을 갖추지 않고 거대한 암반 위에 1층 탑신이 얹혀질 자리를 깎아 내고 직접 탑신부를 놓았다. 그 밖에는 커다란 암괴의 윗면을 다듬어 낮은 1~4단의 몰딩형 받침을 깎아 내고 그 위에 직접 탑신부를 얹은 형식이다. 이들 암괴들은 윗면이나 옆면을 잘 다듬어 방형 또는 원형으로 만든 예도 몇 곳에 있지만 대부분 거대한 암반에서 커다란 암괴를 절단해 내어 그 석재를 기단석으로 사용하였다.

특히 운주사의 진입로에서 평지를 따라 오르면 9층석탑(배치번호 1) 다음에 있는 7층석탑 2기(배치번호 2, 3)가 기단 형식이 잘 다듬어진 모습을 보이고 있다. 전남대학교 박물관에서 석탑 주변을 발굴한 결과 이 탑의 커다란 암석 기단은 상부면과 측면이 잘 다듬어졌을 뿐만 아니라 1미터 내외의 돌로 기저부(基底部) 사면을 돌리고 그 위에 커다란 석괴를 올려 놓은 것임을 알 수 있었다. 또한 이 석괴 주위에는 납작한 자연석으로 탑구(塔區)를 돌렸고 석괴형 기단과 탑구 사이에는 다시 잘 다듬은 판석을 깔았다. 따라서 이 탑이 조성된 시기에는 탑구와 방형 판석으로 포석(鋪石)을 마련하여 주변을 정돈하고 그 중앙에 석괴형 기단을 조성한 듯하다.

7층석탑 1 옥개석이 통일신라시대의 전형적인 탑과 같다.

7층석탑의 기단부에 탑구를 두른 모습 기단 중앙에는 원형의 탑신 받침이 있고 기단석 주위는 탑구(塔區)를 돌렸다.

이처럼 커다란 암괴를 기단으로 사용한 예 외에 석탑의 규모에 맞춰 적당하게 단일석으로 기단을 조성한 예도 있다. 이는 대부분 흙에 묻혀 있어 정확한 모습을 알 수 없지만 석괴를 기단으로 사용한 것보다는 기단의 규모가 훨씬 작다(배치 번호 4, 5, 6, 7, 10, 11).

결국 운주사 석탑의 기단 형식은 전형탑(典形塔)에서 보이는 단층 기단이나 이중 기단 형식을 따르지 않고 거대한 암반 위에 직접 탑을 세우거나 5미터 내외의 커다란 석괴를 이용한 단일석 기단 형식을 취하고 있다.

석탑의 경우 자연 암반 위에 건립된 예는 9세기 전기에 건립된 경주 남산 용장사계 3층석탑을 시작으로 고려시대에 이르러 영국사(寧國寺) 망탑봉(望塔峰) 3층석탑을 비롯한 많은 수의 석탑에서 찾아볼 수 있다. 이들 가운데 용장사계 3층석탑은 뚜렷하게 단층 기단을 형성하여 고려시대의 석탑들이 자연 암반을 기단으로 대신한 예와 구별된다. 운주사 석탑과 더불어 이와 같은 기단 형식을 한 석탑이 고려시대에 많이 건립된 것은 고려시대에 유행하던 풍수지리설과 관련이 있어 결국은

산천비보(山川裨補)의 뜻이 담겨 있는 것이 아닐까 하는 생각을 갖게한다.[19]

　운주사 석탑에서 특이하고 흥미로운 점은 자연 암반 위에 석탑을 세울 때 어떻게 축조하였는가 하는 점이다. 특히 거대한 자연 암반이 경사를 이루고 있어 이런 경사면 위에 높은 석탑을 세우는 데는 대단한 기술과 축조 기법이 필요했을 것이다. 탑의 축조를 위해 고안된 것이 계곡 좌측의 암반 위에 보이는 8괘형(八卦形) 홈들이라 짐작된다. 곧 석탑이 수직력에 의해서만 지지되면 측면 방향의 압력을 감당하기 어려우므로 이를 해결하기 위해 탑신의 하부에 홈을 파서 측면 방향의 이탈을 방지하고자 했던 것으로 보여진다. 이러한 예는 좌측 산록의 암반에서 현재 4곳이 발견되었는데 이들 8괘형 홈 위에도 예전에는 석탑이 있었을 것으로 생각된다.

탑신(塔身)

　운주사 석탑의 탑신 모양은 4매 판석 조립형, 방형 단일석형(單一石形), 원통형, 석주형 등 다양하다. 4매의 판석을 조립한 형식은 1매의 판석에 양(兩) 우주와 보조 우주 및 면석을 모각하고 이를 양쪽에 세워 그 사이의 앞뒤로 면석을 끼워 넣는 방법이다. 이 방법은 특히 4개의 우주와 4개의 면석을 조립하여 탑신을 구성하고 있는 백제계 석탑들의 방법과 서로 비교가 된다.

　단일석 탑신은 1매의 석재로 각층의 탑신을 만드는데 우주를 모각하기도 하고 우주와 면석을 구분하지 않기도 한다. 원통형 탑신은 원형탑의 탑신으로 원형의 옥개석과 조화를 이루도록 한 조형인 듯하다. 이 원형 탑신에는 수평줄눈 이외에 별다른 장식은 없다. 또한 대부분의 석탑들은 1층은 판석 4매를 조립하였으나 2층 이상은 단일석으로 탑신을 이루고 있다. 석주 형식은 기다란 장주형(長柱形) 단일 석재로 탑신을 이룬 예로 석주형 폐탑에서 볼 수 있다.

7층석탑 2 탑신에 교차문양이 있고 잘 다듬은 방형 기단의 탑이다.

7층석탑 2의 옛모습 『조선고적도보』에 실린 사진으로 주변 풍경과 잘 어우러져 있다.

7층석탑 3 옥개석이 얇고 넓으며 약한 귀솟음이 있어 백제계 탑의 형식이다.

특히 면석에는 다양한 기하학적 무늬가 양각 또는 음각되어 있어 통일신라 후기 석탑에서부터 흔히 보이는 불교적 장식과 문양을 대신한 것인지 아니면 운주사의 신비스러운 분위기와 관련이 있는 무속적 문양인지 판단하기 어렵다. 다만 지금까지 발표된 문양 관계 문헌에서도 운주사 석탑의 탑신에서 보이는 문양은 보이지 않고 있어 더욱 흥미롭다.

제작 방식은 우주를 면석과 별석(別石)으로 조립하지 않고 거의 대부분이 판석에 우주를 조출, 모각하였는데 면석과 우주 사이에 보조 우주를 하나씩 더 넣어서 운주사 이외에는 볼 수 없는 이색적인 조형 기법을 나타내고 있다.

운주사 석탑에는 전형적인 기단이 없기 때문에 맨 아래층을 기단의 중석이나 갑석으로 보지 않고 1층으로 보아야 하는데 그렇게 보자면 짝수층의 석탑이 생겨 곤란하다(배치번호 19). 또한 대부분의 석탑들이 초층의 탑신이 높고 5층 이상이어서 고준한 모습을 보이며 백제계 석탑에서 나타나는 조형 감각과 비슷하여 상호 친연성을 보인다.

옥개석(屋蓋石)

석탑에서 옥개석은 옥개와 옥개 받침으로 나뉜다. 이 글에서는 옥개석의 상부면을 옥개라 하고 하부면을 옥개 받침이라 하였다. 운주사 석탑의 옥개 형태는 방형, 원형, 모전탑형, 자연석형 등 여러 종류로 나타난다.

방형의 옥개는 신라계 석탑의 옥개처럼(배치번호 2, 16) 낙수면이 급하고 폭이 좁으며 옥개석의 단부가 사절(斜切)되어 전체적으로 둔중한 모습을 보이는 예와 백제계 석탑의 옥개처럼 평평하고 넓으며 단부가 직절(直切)되어 평박광대(平博廣大)한 모습을 보이는 예로 구별된다. 백제계 석탑의 옥개석과 유사한 모습의 옥개석은 모두 단일석이며 단부의 처마면이 두껍다. 또 우동(隅棟)도 두툼하여 뚜렷한 것이 특색이다.

원반형 석탑 실을 감는 실패 모양을 하고 있다. 원래는 3층 정도였을 것이다.

원형의 옥개는 얇고 넓은 원판을 옥개로 한 경우와 일명 실패탑의 경우처럼 두툼한 원형 석재를 거칠게 다듬어 원통형의 탑신 위에 얹어 놓은 경우가 있다. 또한 별도로 탑신을 조성하지 않고 높은 기단 위에 원형의 기단 갑석을 얹고 떡시루나 주판알 모양의 석재들을 중첩시켜 층위를 이루는 경우도 있어 다양한 조형 수법을 나타내고 있다.

모전탑형 옥개는 1매석 곧 단일석의 상하 층단을 이루면서 옥개 받침과 낙수면의 경사를 나타내고 있어 전탑의 조형 형식과 유사하다. 이 형식은 별개의 수많은 벽돌을 사용하여 축조한 것이 아니라 단일석을 깎아내어 전탑처럼 조성한 것이다.

또 다른 옥개의 형태는 판석을 거의 다듬지 않고 옥개로 이용한 예이다. 이 경우는 암반에서 석재의 결에 따라 석재를 판형으로 떼어 내어 옥개로 사용한 것이다. 물론 거의 다듬지 않은 상태의 판재를 그대로 올려 놓았기 때문에 기존의 옥개석과는 전혀 다른 모습이고 옥개 받침 역시 없다(배치번호 18:일명 거지탑).

운주사 석탑의 옥개 받침은 전탑에서 유래되었다고 하는 적출식(積出式) 받침과 옥개 받침 대신에 기하학적 문양을 깎은 형식 그리고 전혀 옥개 받침이 없는 형식 등 다양하다.

적출식 옥개 받침은 내민 깊이와 높이가 작아 6~7단을 이룬 예가 있고 모전 석탑 2기의 옥개 받침은 단의 크기가 크며 수도 적다. 이러한 옥개 받침의 수는 전형탑이 일정한 데 비하여 운주사의 석탑에서는 각층마다 일정하지 않으며 또한 시대가 하대로 내려오면서 받침수가 줄어드는 전형탑과는 상대적으로 대비가 된다.

또한 옥개 받침 대신에 옥개석의 하부에 기하학적인 문양을 양각한 탑들은 옥개 받침을 없애고 완만한 경사를 이루었으며 탑의 중심에서 옥개석의 외곽을 향해서 사선 문양(배치번호 1)과 마름모꼴(배치번호 19) 문양을 조각하였다. 이 가운데 마름모꼴은 연꽃 모양의 장식을 하기 위한 것이 아닌가 하는 생각이 든다.

9층석탑 운주사 골짜기의 남쪽 입구에 위치하며 보물 제796호로 지정된 면석과 옥개석의 문양이 특이한 석탑이다. (옆면)
9층석탑 입면도(위)

특히 진입로 입구의 9층석탑(1번탑)과 좌측 산록의 거대한 암반 위에 있는 7층석탑(15번탑)은 옥개 받침의 면과 면이 만나는 부분에 마치 목조 건축의 추녀와 같은 모습을 흉내낸 두툼한 돌기를 길게 깎아 내어 주목을 끈다. 백제계 석탑에서 목조 건축의 추녀마루를 모방한 우동이 옥개석 상부에 표현된 예는 많으나 이처럼 옥개석 하부 모서리에 대각선 방향으로 추녀 모습을 나타낸 예는 한국의 다른 석탑에서는 없었다고 생각된다.

옥개와 옥개석에서 살펴본 바와 같이 운주사 석탑에서 보이는 옥개석의 형태는 백제계 석탑 곧 목조 건축적인 의장 요소가 다분히 내포되어 있음을 알 수 있다.[20]

상륜부(相輪部)

운주사 석탑의 상륜부는 남아 있는 경우가 드물다. 다만 복발(覆鉢)과 짧은 찰주(擦柱)가 몇 기의 석탑에 남아 있을 뿐이다.

현존하는 상륜의 부재로 보아서는 보륜(寶輪)에 찰주공이 뚫려 찰주가 관통한 예는 없고 각기 별개의 원통형 석재로 만들어서 그냥 중첩시켜 놓은 듯하다. 특히 복발, 앙화, 보개 등의 전형적인 상륜을 나타내 보이는 부재는 지금까지 부분적으로 남아 있거나 주변에 폐탑재로 흩어져 있다.

또한 최상층 옥개석의 중앙에는 찰주를 꽂았던 찰주공으로 보이는 구멍이 옥개석을 관통하지 않고 상부에서 하부를 향하여 패여 있는데 그 깊이는 얕다. 보륜 등에도 장식이 전혀 없어서 간단한 모습을 보일 뿐이다.

사리공(舍利孔)

한국 석탑에서 사리 장치의 위치는 탑의 하부에서 상부로, 1개소에서 2개소로 시기적으로 변화하는 등 그 위치가 다양하다.

원반형 탑재의 사리공

　운주사 석탑의 내부에 안치되어 있는 납장품(納藏品)에 대해서는 아직까지 알려진 바가 없고 다만 폐탑의 한 부재로 버려져 있는 옥개석에서 사리공으로 추정되는 구멍이 발견될 뿐이다. 이들 옥개석은 어떤 탑의 몇 층에 해당되었던 것인지는 알 수 없으나 옥개석 상부면의 중앙이 얕게 패여 있어 일반적인 사리공과 다를 바 없다.

　그러나 흥미로운 것은 현존하는 대웅전 뒤의 방형 3층탑(배치번호 11) 바로 옆에 있는 옥개석에는 사리공이 옥개석의 하면에서 위쪽을 향하여 패여 있다는 점이다. 사리공은 옥개석이나 탑신의 상부면을 위에서 아래쪽으로 판 것이 일반적이기 때문이다. 또한 19번 탑의 최하부 옥개석 중앙에도 하부에서 상부를 향해 구멍이 패여 있어 이러한 형식의 석탑이 다소 있을 것으로 생각된다. 이 옥개석이 속한 탑이 사리 장치를 탑 속에 넣을 때 탑신 상부와 옥개석 하부를 같이 팠던 것인지 아니면 탑신 상부는 파지 않고 옥개석 하부만 팠던 것인지는 분명치 않으나 이색적인 방법이라 하겠다.

　일반적으로 사리공은 장방형인데 대웅전 앞 축대에 있는 원형 탑재에도 장방형의 구멍이 패여 있어 주목된다. 이 구멍이 사리공인지는 분명치 않으나 원형 옥개석으로 추정되는 탑재의 중앙에 방형의 구멍이 패여 있는 것은 특이한 예라 하겠다.

석탑의 양식적 특성

운주사 석탑에서 나타난 양식상의 특징은 먼저 한 장소에 이처럼 수많은 석탑이 다양한 모습으로 건립된 예가 없고 석탑의 조형 양식이 다양한 면모를 보인다는 점이다. 곧 방형탑·원형탑 등과 3층, 5층, 7층, 9층 등 동일한 장소에 이처럼 각양 각색의 탑이 있는 예를 한국에서는 찾아볼 수 없다. 특히 원형탑과 모전 계열의 석탑이 등장하고 있는 것은 특이한 현상이다. 일반적으로 모전 계열 석탑의 중심은 경주 지방이고 원형탑은 중국 송나라의 영향을 받아 고려 말엽에 나타난 것으로 여겨지고 있다.

또 다른 특징으로는 전형적인 기단이 없고 자연 암반이나 커다란 단일석 석괴를 기단으로 하고 있으며 초층 탑신 우주의 안쪽에 다시 우주와 비슷한 모습의 비보 우주가 모각된 점을 들 수 있다. 또 1층의 좁은 면석에 탱주를 모각하였고 탑신의 면석에 마름모꼴, 교차선, 직선, 사선 등의 기하학적 문양이 등장한다는 사실도 특이하다.

방형 옥개석의 경우 옥개 받침이 없는 경우가 많은데 사선 문양으로 장식하여 받침을 대신하고 있다. 또한 원형 옥개석의 경우는 아래에 연화문이 다소 거칠게 조각되어 있다. 이처럼 옥개 받침을 생략하고 연화문 장식을 한 석탑은 전북 정읍에 위치한 천곡사지 7층석탑에서 볼 수 있다. 연화문 장식은 석등과 부도에서는 흔히 볼 수 있으나 석탑의 경우에는 아주 드물다.

옥개석 하면의 대각선 방향에는 마치 목조 건축의 추녀와 같은 형식의 두툼한 돌기형 조출이 있고 옥개석의 사리공이 아래에서 위쪽을 향해 패여 있거나 방형의 사리공이 있어 일반적인 예와 다른 모습이다. 대부분의 방형탑은 옥개석이 평박광대하고 반전(反轉)이 있으며 탑신이 고준한 백제계 석탑의 양식을 지니고 있다. 이처럼 운주사 탑의 양식적 특징 가운데 백제계 석탑 양식이 나타나고 있는 것은 주목할 만하다.

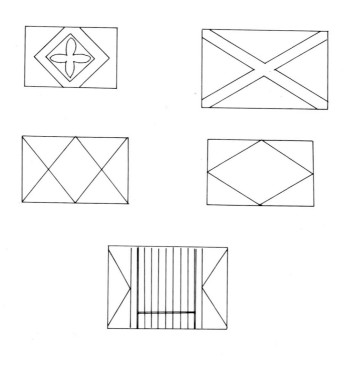

석탑의 여러 문양들

이는 고려시대에 백제의 옛 영토에서 일어난 백제 문화의 복고 현상으로
이해할 수도 있겠다.

　운주사 석탑들은 금당 앞의 중정에 세워진 것이 아니라 가람 배치와
무관하게 사찰의 전각에서 멀리 떨어진 곳에 다소 무질서하게 위치하고
있다. 물론 이들의 배치에 어떠한 내재적 질서가 있는지도 모른다. 하여
튼 하나의 가람에 이처럼 다양하고 수많은 석탑이 조성되었다는 사실은
일종의 파격이며 그 당시에 건탑에 참여했던 장인들의 불심과 제작 의지
에 새삼 감탄할 뿐이다.

원구형 석탑 떡시루나 주판알 모양의 이색적인 탑이다.

원구형 석탑의 옛모습『조선고적도보』에는 원구(圓球)가 7개로 나타난다.

석탑의 건립 배경

운주사는 탑의 건립과 사찰의 창건이 비슷한 시기에 이루어졌다고 보는 것이 일반적인 관점인데도 불구하고 워낙 신비스러운 사찰이라 석탑의 건립 배경이나 연대에 대해 다양한 견해가 제기되어 왔다. 절의 창건 시기를 어느 한 시점으로 잡으면 그 짧은 기간에 어떻게 이처럼 많고 다양한 모습의 탑이 건립되었을까 하는 의문이 생기지 않을 수 없다.

아무튼 옛 절터 발굴 조사에 의해 초창 시기를 11세기까지 보아 석탑의 건립 시기도 상한 연대를 11세기까지 올려서 볼 수 있는 근거는 마련되었다. 그러나 창건 때에 모든 탑이 동시에 건립된 것인지 아니면 중창 때마다 조금씩 새로이 건립된 것인지는 분명치 않다. 오히려 어느 특정한 시기에 대대적인 불사가 이루어지고 그때 일시에 석탑을 건립한 것이 아닌가 하는 생각도 든다.

양식적으로 보면 운주사의 석탑은 대부분 고려 중기 이후에 건립된 것으로 판단된다. 곧 운주사 석탑들에서 나타나는 다양성과 무정제성(無整齊性)으로 보아 건립 연대를 낮추어서 볼 수밖에 없는 것이다. 통일신라시대의 석탑들이 보여준 정형적인 감각은 사라지고 다소 무계획적이고 거친 듯한 무작위(無作爲)의 기법이 운주사 석탑들에서 나타나기 때문이다. 이를 무기교(無技巧)의 미라고 해야 할지 정성이 부족하다고 해야 할지 판단이 서지 않는다. 그러나 운주사의 석탑에 대해 조잡하다거나 불심(佛心)이 부족하다라는 표현은 적절하지 못하며 어떤 특별한 목적과 의지를 가지고 이러한 불사(佛事)가 이루어진 것이라고 추정해 볼 수 있다.

조선 후기에 탑을 수리한 흔적
『조선고적도보』에 실린 사진으로
19세기 초에 설담 자우 스님이
천불천탑을 수리한 뒤 운주사 약사
전을 중건하면서 이처럼 어설픈
탑 모습이 되어 버렸다.(위)

**석탑의 일부로 보이는 원기둥
석주** 본문 34쪽의 경우처럼 1층
탑신이 원기둥처럼 길어진 석주가
3개 조사되었는데 오른편에 보이는
원반형 옥개석으로 보아 석탑의
일부였음이 분명하다.(왼쪽)

고려 초의 시대상과 건탑 양상

고려시대에 접어들면서 통일신라시대에는 찾아볼 수 없던 다양한 모습의 석탑들이 만들어지는데 이들 석탑의 건립 연대는 그 시대의 정치·사회적 시대상과 관련시켜 합리적으로 추정해 볼 수 있을 듯하다.

고려시대의 석탑은 통일신라시대의 왕도 중심의 일률적인 석탑 양식에서 벗어나 각 지방의 토착 세력이 건탑에 관여하여 과거의 일률적인 규범보다는 각기 제 나름대로의 특징이 반영되어 다양한 모습의 석탑이 건립되는 양상을 보이고 있다. 따라서 각 지방의 특색이 현저히 나타나고 산속에까지 각양 각색의 새로운 형식을 지닌 석탑이 건립되게 된 것이다.

이러한 석탑 건립 양상의 변화 곧 지방 민중이나 토착 세력의 참여, 다양한 석탑 조형 등은 고려의 창업기를 지나 고려다운 새로운 성격이 두드러지기 시작한 11세기 이후부터라고 추정된다. 이는 고려 초기 탑의 일반적인 현상이고 운주사의 경우는 여러 가지 정황으로 보아 이보다는 훨씬 뒤의 일이라고 생각된다.

석탑의 건립 연대를 추정하는 방법 가운데 하나는 건립 연대가 밝혀진 탑과 그 양식을 비교하는 것이다. 이 시기에 조성된 석탑의 대표적인 예로 건립 연대가 확실한 것은 금산사 5층석탑(경종 4년인 979년에 시작하여 성종 원년인 982년에 완공)을 비롯한 몇 기의 석탑에 불과하다. 이러한 석탑들을 운주사 석탑과 같은 의장적 특성을 갖는 탑으로 간주할 수는 없으나 운주사의 석탑들도 고려 석탑의 특성을 여러 부분에서 강하게 지니고 있다고 하겠으며 이들보다는 다소 후대에 건립된 것이라 여겨진다.

운주사 석탑의 조형 기법이 고려 초기의 석탑들에서 보이는 양식이나 축조 기법보다는 다소 후기적 양상을 보이고 있기 때문에 석탑 건립 연대의 상한은 운주사의 초창 연대보다 늦은 12세기로 낮춰 보아야

암반 위에 석탑을 놓았던 자리 석탑의 수직력이 상하, 좌우에 골고루 분산되게 하여 이탈을 방지하고자 한 지혜가 엿보인다.

하리라 생각된다. 이렇게 12세기를 석탑 건립의 상한 연대로 하면 실제
로는 13세기경에 조성된 것이라고 추정하는 것이 타당할 것이다. 특히
13세기 고려 불교계의 동향이 군소 종파(群小宗派)가 난립하고 토착적
인 신비 사조(神秘思潮)가 부활되며 민중 중심의 지방 불교로 특징지워
지기 때문에[21] 이 시기를 건탑의 적절한 시기로 보아야 할 듯하다.

풍수지리설의 유행과 건탑

천불산의 산곡에까지 불사를 일으키고 이처럼 많은 탑을 세운 것은 지방 세력의 참여와 더불어 풍수지리설의 유행으로 인한 것이 아닌가 하는 추측을 불러일으킨다.

운주사와 천불천탑의 조성에 대한 전설은 『도선국사실록(道詵國師實錄)』에[22] 실려 있는데 그 내용은 도선이 중국에서 풍수지리로 명성을 떨치고 돌아온 뒤 나라의 기틀을 공고히 하고 민물(民物)을 편안히 하고자 하여 배[舟]가 운행하는 형세인 우리나라의 각 지역에 사탑과 불상을 세워 비보진압(裨補鎭壓)하였으며 특히 운주사는 배[腹]에 해당되므로 천불천탑을 세워 진압하였다는 것이다.[23] 이것에 덧붙여 이곳을 진압하지 않으면 우리나라의 운세가 일본으로 흘러가게 되므로 도선이 하룻밤 사이에 도력으로 인근의 돌을 불러모아 천불을 세워 사공으로 삼고 천탑을 노로 삼아 비보진압하였다는 구전(口傳)도 전해져 오고 있다.

그러나 운주사와 불탑 및 불상을 도선이 창건하였다는 이러한 기록이나 전설은 실제의 사실로 받아들이기에는 문제가 있다. 도선이 생존했던 시기는 827~898년이고 그가 창건했다고 전해지는 사찰이 전국에 너무나 많이 산재해 있기 때문이다. 도선이라는 한 개인이 그처럼 수많은 사찰을 일정한 시기에 창건하는 것이 불가능한데도 불구하고 '도선(道詵) 창사(創寺)' 이야기가 이처럼 많은 것은 그의 영향력이 모든 곳에 신앙처럼 가득했기 때문일 것이다. 도선이 만약 운주사를 창건했다고 하면 그가 생존하였던 9세기의 석탑 양식은 운주사의 석탑 양식에서 나타나는 추정 연대에 비해 2~3세기 가량이나 차이가 있다.

결국 도선의 비보설(裨補說)은 고려 건국의 당위성을 대변하는 이념으로 채택되어 고려 태조의 "훈요(訓要)10조" 제2훈에서 언급될 정도였으며 도선이 점정(占定)한 곳에만 창사하게 된 당시의 정황으로 보아 운주사도 고려 초기경에 건립되었으나 창건에 도선의 이름을 빌려(풍수

탑과 불상이 한데 어우러진 모습

지리사상과 관련하여) 가탁(假託)한 것으로 생각된다. 또는 도선의 제자들이 스승의 유업을 계승하여 이를 이룩했을지도 모른다.

또한 『도선국사실록』에 문자로 기록된 것도 전설적인 내용이 구비전승(口碑傳承)되는 과정에서 하나의 사실로 줄거리가 잡히게 되었고 그것이 문자로 정착되지 않았나 하는 생각이 든다. 곧 도선의 비보설을 배경으로 해야만 사찰의 품격이 오르고 국가의 보호를 받을 수 있었기 때문에 이러한 형식의 사찰이 전국에 수없이 산재하게 된 듯하다.

석탑의 건립 기간

과연 운주사에 천 기(千基)의 석탑이 있었고 이것들이 일시에 건립된 것일까?

천(千)은 불교에서는 만수(滿數)로서 무량 무수(無量無數)의 여래를 나타낸다. 천불 신앙은 과거 장엄겁(莊嚴劫), 현재 현겁(賢劫), 미래 성숙겁(星宿劫)의 삼세(三世) 삼천불(三千佛) 가운데 현재 현겁의 천불에 대한 신앙을 가르친다. 천불 신앙은 중국의 남북조시대 이래 당대까지 각지에 천불이 조성되고 유지되었다.

우리나라에 천불 신앙이 전래된 것은 삼국시대 후기였으며 고구려에 처음 전해진 것으로 추정된다.[24] 경남 의령에서 출토된 고구려 불상의 명문에 천불상의 조성 사실이 보여 주목된다. 실제 천불상의 조성 예는 경덕왕대부터 문헌에 등장하고 운주사와 가까운 지역인 구례 화엄사(華嚴寺)와 해남 대흥사(大興寺)의 천불전 등에서 찾아볼 수 있다. 그러나 천탑의 예는 없다. 이는 천이 '더 이상 채울 수 없이 가득한' 개념을 가진 불교의 상징적 의미로만 사용되었음을 뜻하는 것은 아닐까? 조그마한 목불상(木佛像)이나 소조불(塑造佛)로 천 기를 채울 수 있으나 거대한 탑을, 그것도 석재로 한 곳에 모아서 세운다는 것은 상식적으로도 다소 무리라고 생각된다. 아마도 그렇게 많은 석탑을 가득한 불심으로 세웠다는 상징적인 표현일 듯하다.

또한 석탑의 건립 기간을 어떻게 볼 것인가? 어떻게 일시에 이처럼 많고 다양한 석탑이 조영된 것일까? 석탑 1기의 건립 기간에 대한 정확한 산출 근거는 없으나 금산사 5층석탑이 약 4년 가량 소요되었다는 사실을 운주사에 대비시킨다면 많은 기간이 소요되었음을 짐작할 수 있다. 그렇다면 최소한 몇 단계의 과정을 거쳐 이루어졌을 것이다. 이는 운주사의 창건에서 폐사까지 3차례의 중창이 있었던 점과도 관계가 있을 것이다. 창사(創寺) 때에 몇 기 정도의 석탑이 건립되고 중창시에 다시 새로운 석탑들이 건립 부가된 것이라 생각된다. 운주사 석탑들이 몇 가지의 양식을 보이고 있다는 점도 이를 뒷받침해 준다. 곧 방형탑, 원형탑, 미숙한 형태의 석탑 등 다양한 형태의 탑이 동일한 장소에 나타나는 것으로 보아 이들이 건립 연대가 다르기 때문에 서로 모습이 달라진 것이 아닌가 하는 추정이 가능해지는 것이다.

결국 운주사의 석탑들은 창사에서 수차에 걸친 중창에까지 시기를 달리하면서 종류가 다른 석탑들이 건립되었다고 보아야 할 듯하다. 문제는 어떤 형식의 석탑이 먼저이고 나중이냐는 것인데 이는 얼마나 전형적인 모습에 충실하고 규범을 따라 축조되었는가를 준거로 해서 그 선후를 따져야 할 것이다.

이러한 문제를 뒷받침해 줄 만한 근거가 희박하여 단정적인 판단을 하기 어려우나 가장 먼저 방형의 석탑들이 12~13세기경에 건립된 것으로 추정되며 그보다 더 늦은 시기에 원형 석탑과 석주형 석탑들이 건립된 것으로 판단된다. 사찰의 창건 및 중창 시기와 관련시켜 볼 때 창건 연대가 11세기 초반이라면 창건시에는 석탑들이 없다가 중창기에 석탑 건립이 시작되어 3창까지 이어진 것이 아닌가 하는 추정이 가능해지는 것이다. 그렇게 보면 운주사에서 이루어진 건탑은 12세기부터 시작되어 15세기까지 3, 4차례에 나누어 이루어졌을 것이다.

또 그 순서는 방형탑, 원형탑, 석주형 탑신만 남아 있는 난형탑(亂形塔)의 순으로 건립된 것이라 여겨진다. 특히 방형탑 가운데 모전탑계의 석탑들은 기존의 방형탑과는 이질적인 양식을 보이고 있어서 건탑에 참여한 지방 세력 또는 민중의 집단이 이 지역 출신이 아니거나 또는 이 지역 출신이더라도 신라적 연계가 깊은 집단에 의해서 이룩된 것으로 추정된다. 왜냐하면 그 분포지가 안동을 중심으로 한 지역에 집중되어 있기 때문이다.

불상

불상의 현황과 명명(命名)

운주사의 불상은 금동불 2분과 소조불 1분을 제외하고는 대부분이 돌부처이며 지금까지 확인된 불상만도 1백여 분이 넘는다. 그 가운데 모양이 완전한 부처는 57분이고 불완전한 부처 또한 43분이나 된다. 금동 여래·보살 입상과 산재 석불 3분, 석조 불두, 소조 불두는 발굴되어 전남대학교 박물관에서 보관 중이고 2분은(석조 불상군 가-7, 나-9) 1980년대에 유실된 것으로 여겨진다.

1백여 분이 넘는 불상을 살펴보는 데는 어려움이 많다. 우선 편의상 중요 석불과 불상군 석불 그리고 산재 석불 및 파손 석불, 금동 불상 등의 유형별로 구분하였다. 중요 석불로는 이른바 와불(석불 좌상·입상)과 그 아래의 자연 암반에 서 있는 시위불(석불 입상), 계곡의 평지에 있는 광배를 갖춘 석불 좌상, 북쪽 석벽을 이용한 마애 여래 좌상, 석감을 만들어 안치한 석불 좌상 2분으로 모두 7분이다. 이들은 나름대로 조각 솜씨가 드러나 있고 사상적으로 중심 위치를 점하고 있는 불상들이다. 다음으로 불상군 석불은 자연 암반을 털어 내고 비바람으로부터 불상을 보호하기 위한 암벽 감실을 만들어 거기에 기댄 불상들을 말하며 6개군이 조사되었다. 마지막으로 산재 석불과 파손 석불은 함께 묶었

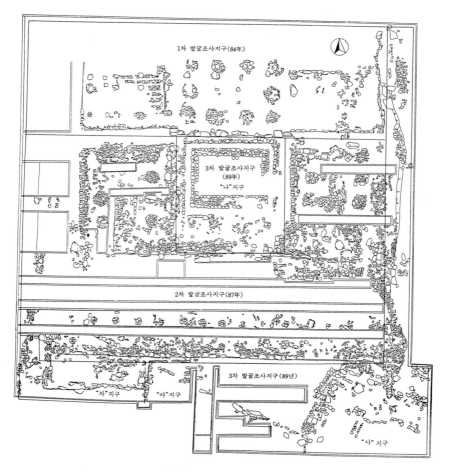

옛 절터(용강리 건물지) **평면도**

다. 이것은 주변 산곡에 아무렇게나 놓여 있는 불상 가운데 상태가 완전한 것은 산재 석불로, 파손되어 불두편·불신편만 남아 있는 것은 파손석불로 한데 모았다. 그리고 불상군 대좌 부근에서 출토된 금동 여래 입상, 금동 보살 입상과 1988년에 용강리 건물터에서 조사된 소조 불두편은 따로 항목을 정하였다.

미완성 석불 좌상과 입상(일명 와불)의 평·단면도

독립형 석불

미완성 석불 좌상·입상(와불)과 석불 입상(시위불)

서쪽 계곡의 산 정상에는 와불이라 불리는 석불 좌상과 입상이 있고 그 아래에 시위불로 불리는 석불 입상이 자리한다. 이 3분의 부처는 운주사 일대의 돌부처 가운데에서 가장 전형적이며 특히 운주사에 관련된 설화의 중심 부분이기도 하다.

먼저 좌상을 살펴보면 상호는 대체로 달걀형이고 길고 넓적한 귀는 눈썹 부근에서 입 아래까지 형체만 거칠게 묘사하였으며 눈썹과 코는 약간 도드라지게 조각하였다. 한 단 낮은 반달형의 눈과 두툼한 입술 그리고 인중은 선각으로 또렷하게 표현된 편이다. 특히 인중 표현 방식은 그 옆의 입상과 석조 불감 안 남쪽 석불 좌상, 석조 불상군 가-2, 라-4, 산재불-4의 석불 입상에서 그와 유사한 예를 볼 수 있다. 볼과 얼굴 전체의 측면은 주변 석불 가운데에서 가장 잘 다듬은 편으로 양감을 느낄 수 있다. 이마는 머리 부분보다 한 단 낮게 깎아 내렸다. 특히 육계는 다른 돌로 상호의 오른쪽에 따로 놓여져 있는데 이를 두고 조선시대 억불 정책의 일환으로 불상을 잘라 낸 흔적이라고 말하는 호사가들도 있으나 어디까지나 억측일 뿐이며 암반이 부족하여 취한 궁여지책으로 보인다.

목은 길고 넓으며 깊게 다듬어져 있는데 삼도는 표현되지 않았고 어깨는 머리 크기에 비해 좁은 편이다. 착의법은 가사를 왼쪽 어깨에만 걸친 형태로 우견편단이며 선각의 옷주름이 보인다. 수인은 가슴에 두 손을 중앙으로 모은 형태로 가사 자락에 덮여 있으며 선각의 옷주름은 사선형의 평행선을 반복해 넣었다. 이 손의 모양은 운주사 일대 석불 가운데에서 가장 많은 사례인데 합장인이거나 비로자나불의 수인인 지권인의 변형으로 여겨진다. 다리 모양은 길상좌인데 오른다리를 들어 얹은 결가부좌 형태로 왼다리의 꼬여진 모습과 오른다리는 보이지 않고

미완성 석불 좌상과 입상(일명 와불)**의 겨울 풍경** 누비이불을 덮고 있는 듯한 돌부처

사선의 옷주름이 각기 다른 방향으로 표현되어 있다.

 석불 좌상 왼쪽에 자리한 입상은 좌상과 조각 수법이 같다. 상호는 전체적으로는 기다랗고 측면까지 잘 다듬어져 있다. 눈썹을 튀어나오게 하기 위해 눈 주위를 한 단 낮게 처리하였으며 눈은 반달형이며 코·입·인중 표현은 좌상과 유사하다. 귀는 무슨 이유인지 석불 좌상처럼 분명하지 않고 깨어진 채로 흔적만 남았다. 이마는 역시 머리 부분보다 한 단 낮게 표현되어 있으며 꽃봉오리 모양의 육계는 단이 졌다.

미완성 석불 좌상과 입상(일명 와불)**의 채석 흔적** 미완성 석불 좌상과 입상의 다리 부분에 떼어 내려다 만 흔적이 있으나 주변 어디에서도 이 돌부처의 안치 자리인 대좌를 발견할 수 없어 정말 세우려 했었는지에 대한 의문이 가시지 않는 영원한 화두의 하나다.

목은 어깨쪽으로 갈수록 길고 넓지만 역시 삼도는 없다. 어깨는 좌상처럼 왜소하고 법의는 왼쪽 어깨를 내놓고 오른쪽 어깨에 옷주름이 표현된 좌견편단이다. 수인은 시무외·여원인으로 손가락을 모두 표현하고 있는데 왼팔은 들어올려 오른쪽 가슴에 대고 오른팔은 구부린 채로 손등을 배에 댄 어색한 형태이다. 하체부는 오른팔 아래를 사선으로, 왼팔 아래를 수직선으로 음각하였고 양다리의 경계를 짓는 선은 주변 옷주름보다 깊게 새겼다.

머슴 부처 와불을 지킨다 하여 시위불 또는 머슴 부처라 불리는 눈 속의 돌부처

이 두 석불은 대체로 북쪽 다리 부분이 남쪽 머리 부분보다 약 5도 높게 경사져 있고 머리는 남향이다. 좌상과 입상의 다리 부분과 좌상과 입상의 사이에는 떼어 내려고 했던 흔적으로 보이는 틈이 있어 산정의 암반에 불상을 조각하고 떼어 내는 공정을 마치지 못한 미완성 불상으로 여겨지며 설화상의 내용과 연계해 볼 때 시사하는 바가 크다.

시위불(머슴미륵)로 불리는 석불 입상은 와불의 입구에 위치하며 상호가 다른 돌부처들과 달리 비교적 갸름한 모습이다. 관모를 쓴 것처럼 단이 진 육계와 머리와 이마를 구분한 표현이 보이며 이마는 한 단 낮고 좁다. 동그란 상호에는 눈썹과 연결된 코가 오똑하고 눈은 선으로 새긴 초생달형이다. 입은 희미하여 잘 알 수 없고 귀는 이마 위에서부터 입 부근까지 길고 좁게 묘사하였으며 볼은 도톰하다. 목에는 삼도가 표현되지 않았고 수인은 오른팔을 들어 왼쪽 가슴에 대고 있고 왼팔을 쭉 펴서 왼쪽 다리에 붙이고 있는데 시무외·여원인의 변형으로 보인다. 법의는 우견편단식으로 보이나 왼쪽 어깨 윗부분의 옷주름이 조각되지 않았고 왼쪽 가슴에서 늘어진 옷주름이 상체 전면을 휘감고 있다. 하체에는 양다리를 구분한 선이 보이고 좌우에 'U자'형의 옷주름이 무릎까지 내려왔으며 그 아래로 직선으로 내리그은 옷주름이 구분되어 있다. 돌출한 발 부분은 위쪽으로 조금 높으며 발가락이 표현되었다.

암반 위에 세워진 이 불상의 크기는 와불(좌상)의 오른쪽에 길이 600센티미터, 너비 95~115센티미터, 두께 68센티미터의 채석 흔적과 유사한데 와불 옆에서 떼어 냈다는 구전상의 이야기와 대체로 부합된다. 이 석불 입상은 앞의 와불과 함께 짝을 이룬 삼존불일 가능성도 생각해 볼 수 있겠으나 옷주름이나 상호 표현 등이 달라 양식상 동일 시기에 만들어진 것으로는 생각되지 않는다.

석조 불감 안의 남·북쪽 석불 좌상

석조 불감(佛龕)

원반형 연화탑 남쪽 5미터 지점에 자리한 이 불감은 팔작지붕 형태로 그 안에 석불 2분이 벽을 사이에 두고 서로 등을 대고 앉아 있다.

이 불감에 대해서는 『동국여지승람』권40 능성현 불우조에 "운주사 재천불산…(중략)…우유석실 이석불 상배이좌"라고 언급한 기록이 보인다. 『동국여지승람』의 편찬자가 유독 불감 안의 상배불을 주목하였다는 것은 상배불이 수많은 석불, 석탑 가운데 그 중심적 위치를 차지하고 있는 데서 연유한 것으로 생각된다.

불감의 평면은 방형으로 평평한 기단석 위에 5매의 판석을 이용하여 짜맞춘 단상을 마련하고 그 위에 각면에 13엽의 양련이 선새김된 1매의 갑석이 있다. 불감 안에는 1매의 판석을 세워 공간을 이분하였다. 이 벽의 윗부분은 터져 있고 양쪽에 화염문이 조각되어 광배 역할을 하고 있다. 양 측면은 1매석을 세워 벽체를 구성하였고 전면은 좌우를 벽체로 막고 중앙은 열려 있는데 문설주 부분에 여닫이문 시설로 보이는 구멍이 상단 좌우에만 있다. 지붕은 팔작지붕 형태이며 8매석으로 이루어졌고 굵은 용마루가 수평으로 설치되어 있다. 좌우 용마루 끝에 기와가 보이는데 1940년대에 촬영한 사진과[25] 동일한 모습이며 지붕 일부와 불상 밑부분이 시멘트로 보수되었는데 이것도 야촌효문(野村孝文)의 논문에 언급되어 있어 1920년대 사진[26]과 비교해 볼 때 1920년에서 1940년 사이에 수리된 것임을 알 수 있다.

남쪽 석불 좌상

불감 안의 남쪽 불상을 살펴보면 육계 부분이 파손되었고 상호는 대체로 둥글다. 눈에서 입 부근까지 기다랗게 표현한 귀는 양각이며 귓바퀴는 음각으로 조각되어 있다. 가느다란 눈썹과 콧등이 파손된 상태

석조 불감 돌로 만든 건물에 두 돌부처가 등을 대고 앉아 있는 이 석조 불감은 지붕과 벽체를 시멘트로 보수하여 흉물스럽다.

석조 불감의 옛모습 『조선고적도보』에 실린 사진으로 지붕과 용마루 부분이 지금의 모습과 달라 이런 모습으로 복원해야 할 것이다.

이고 시멘트로 보수되었다. 가느다란 눈은 선각으로 눈썹보다 약간 낮게 묘사되었다. 목은 짧고 삼도가 표현되었다.

법의는 양어깨를 모두 감싼 통견이며 오른쪽 어깨에 걸쳐 있는 옷자락은 왼쪽 어깨에서 명치 부분을 지나 하반신까지 덮은 형태이다. 수인은 오른손을 배에 대고 왼손을 무릎 위에 얹은 모습이다. 손목까지 옷주름이 음각되었고 손가락이 묘사되었다. 돌출한 다리 형태는 오른발을 들어 얹은 모습이다. 손목까지 옷주름이 음각되었고 손가락이 묘사되었다. 다리는 오른발을 들어 얹은 결가부좌 형태로 길상좌에 속하며 왼발의 꼬여진 모습이 옷자락에 덮여 보이지 않는다. 발바닥과 발가락을 제외한 다리에는 사선의 옷주름이 흘러내린다. 광배는 사다리꼴형 판석에 두광과 신광의 구분 없이 구불구불한 문양이 선각되어 있는데 화염문을 표현한 것으로 보인다.

석조 불감 안 남쪽 석불 좌상의 평·단면도

석조 불감 안 북쪽 석불 좌상의 평·단면도

북쪽 석불 좌상

북쪽 불상은 원반형 연화탑을 바라보고 있다. 상호는 원만상이며 가느다란 눈썹, 얇게 뜬 눈, 희미한 입으로 표현하였다. 귀는 형태만 갖추었고 코는 시멘트로 보수한 것이며 머리에는 육계가 없다. 목은 짧으며 삼도가 뚜렷하고 법의는 통견이다. 양어깨에서 내려오는 옷주름이 좌정한 신체 전면을 덮고 있고 옷주름이 가슴 중앙에서 모아져 있어 석불 좌상(와불)과 마찬가지로 수인의 일단을 추측할 수 있으나 자세한 것은 알 수 없다.[27] 앉은 자세는 옷주름이 약간 겹쳐 있어 오른발을 위에 얹은 형태이다. 광배는 남쪽 석불 좌상과 마찬가지로 불상과 약간 떨어져 있으며 남쪽 좌상이 한 줄의 선각임에 비해 북쪽 좌상은 꼬리가 가는 길쭉한 타원형으로 이것도 화염문의 변형으로 보인다. 운주사 불상 가운데 광배 표현이 있는 것은 이 석조 불감 안의 석불 좌상 2구와 마애 여래 좌상, 광배를 갖춘 석불 좌상뿐이다.

광배를 갖춘 석불 좌상

9층탑과 석조 불감 사이에는 사다리꼴의 판석에 새겨진 석불 좌상이 배치되어 있다. 불신은 고부조로 돌출시켰으며 그에 따라 수인과 코, 눈썹, 귀는 양각하였고 광배는 선각으로 처리하였다. 상호는 원만상으로 눈 언저리보다 약간 높은 눈썹과 기다란 코, 두툼한 입술이 적당한 위치에 자리하였다. 이렇게 입술이 두툼하게 표현된 것은 불상군 가-2의 석불 입상, 와불의 좌상·입상 등 네 가지 예가 있다. 귓바퀴까지 묘사한 장대한 귀는 눈썹 부근에서 입술 아래까지 늘어져 있다. 육계는 뒷부분이 파손되었지만 높은 편이고 머리와 이마 구분선은 보이지 않으며 백호가 도드라지게 묘사된 것이 눈에 띈다.

짧은 목에는 삼도가 표현되어 있지 않으며 법의는 우견편단으로 마애 여래 좌상과 유사하다. 옷주름은 왼쪽 어깨와 오른쪽 소매에만 사선으로 음각되었고 옷에 가려진 손의 모습은 무릎 바로 위에서 명치 부분으로

광배를 가진 돌부처 운주사에서는 드물게 광배를 가진 돌부처이다. 발굴 조사 때 주변에서 조선시대의 기와가 많이 나온 점으로 미루어 조선 후기에는 목조 기와집에 모셨던 듯하다.

광배를 가진 돌부처 앞의 구조물 예불하는 배례석 또는 불상을 넘어지지 않게 하기 위한 지지석으로 보인다.

모아지는 형태이다. 앉은 자세는 오른발을 들어 얹은 길상좌이며 다리에 온통 옷주름이 음각되어 있다. 사다리꼴 판석의 광배는 상단 일부가 파손되었다. 두광과 신광의 구분이 없고 불신(佛身) 주변 전체에 화염문을 음각하였다.

제4차 발굴 조사에서 하부 유구를 노출하였는데 불상 아래에는 방형 구조물이 있고 장대석 2매가 앞부분을 지지하고 있으며 뒷부분은 잡석으로 채워져 있다. 현재 불상은 앞으로 5도 정도 기울어져 있다. 또 주변에서 조선시대 기와편들이 나와 현재의 유구 상태로는 목조 감실 같은 간이 건물지였을 것으로 추정된다.

마애불 공사바위 아래 계곡이 내려다보이는 중요한 자리인 암벽 벼랑에 부처를 새긴 뜻은 과연 무엇일까?

마애 여래 좌상의 평·단면도

마애 여래 좌상

남쪽을 향해 있는 마애불은 현 법당에서 북쪽으로 약 50미터 떨어져 있는 거대한 바위벼랑에 새겨진 것이다. 많은 균열로 탈락이 심하나 암벽의 요철 부분을 그대로 살려 얕게 부조하였다. 육계는 두툼하게 솟아 있으나 머리와 이마가 거의 없고 희미한 눈썹과 기다란 코는 양각 되었으며 귓바퀴까지 음각되었다. 타원형으로 부드럽게 부조된 상호는 눈과 입이 희미하다.

목은 길고 두툼하며 삼도가 선각되었다. 법의는 우견편단으로 보여지 며 오른쪽 어깨는 탈락이 심하다. 왼쪽 어깨에서 내려오는 음각선의 옷주름과 오른소매에 사선의 옷주름이 ∧형 수인을 이루고 있다. 앉은 자세의 다리에도 사선의 옷주름이 보이나 암벽의 탈락이 심하여 가부좌 형태는 정확히 알 수 없다. 대좌는 8개의 연꽃 무늬가 아래로 향하여 음각되어 있다. 광배는 두광과 신광의 구분이 없이 육계 상단부에서부터 몸체 좌우 그리고 무릎 위쪽까지만 음각선문으로 처리되었다.

암벽군형 석불

석조 불상군

석조 불상군은 동서 산등성이의 자연 암반에 기대어 놓고 있다. 이들 은 앞에서 열거한 불상들과는 조금 다른 의미를 지니거나 시대적으로 약간 늦게 조성된 것으로 보여진다. 모두 암반의 단애면을 이용하여 그 하단을 털어 내고 대좌를 설치하였으며 단애면 일부를 잘 다듬어 불상을 기대어 놓았다. 전자는 감실의 의미로 풍우에 대비하여 불상을 보호하기 위한 것으로, 후자는 효과적인 불상의 안치를 위한 하나의 방법으로 생각된다.

불상군 조사에서는 편의상 9층석탑 근처인 동쪽 산등성이에서부터 북쪽 암벽과 서쪽 산등성이에 분포한 6개의 불상군을 차례로 가~바로 크게 나누고 각 불상군의 왼쪽에서부터 가-1부터 세부적인 일련 번호를 부여하였는데 이것은 동일 명칭의 불상이 주는 혼동을 피하기 위해서이다.

석불군들은 산곡 동서 산등성이 암벽에 위치하고 있는데 총 6개군이 조사되었다. 가군은 좌상 1분, 입상 6분(유실 1분 포함), 대좌 6개, 나군은 입상 9분(유실 1분 포함), 대좌 10개, 다군은 좌상 1분, 입상 6분(불두편 3분 포함), 대좌 8개, 라군은 입상 4분, 대좌 8개, 마군은 좌상 2분, 입상 3분(불두편 1분 포함), 대좌 1개 이상(건물지가 들어선 관계로 대좌가 파괴되어 숫자 확인 불가능), 바군은 좌상 2분, 입상 8분(불두편 1분 포함), 대좌 12개가 조사되어 이를 종합해 보면 좌상 6분, 입상 36분(유실 2분, 불두편 5분 포함), 대좌 45개(마군은 확인된 1개만 포함)임을 알 수 있다.

이러한 석불군의 배열 상태는 몇 가지 특징을 보이고 있다. 대개 좌상을 주존으로 하고 입상을 좌우에 협시불 성격으로 안치하고 있는 것(나군은 대형 입상으로 예외)과 주존의 경우(좌상이든 입상이든) 좌우의 입상보다 크기가 월등하다는 것 그리고 좌상 좌우에 입상이 많게는 8분(대좌는 있으나 불상이 소실된 것도 포함하면 10분), 적게는 5분으로 전통적인 협시불 배치 방법보다는 많은 불상이 조성되어 있다는 점이다.

석조 불상군 "가"

석불군 "가"는 보물 796호인 9층석탑의 동쪽 암벽에 위치해 있다. 암벽은 높이 약 8미터, 너비 약 20미터로 수직 단애면에 대좌를 놓고 불상을 안치하였으며 암결은 남북 방향으로 수평이고 그 단면은 서쪽으로 15도 경사져서 올라간다.

불상 배열 상태는 암벽 중앙에 좌상이, 그 오른쪽에 입상 5분과 대좌

"가" 석불군의 옛모습 『조선고적도보』 사진으로 대좌가 온통 흙 속에 묻혔고 불상 배열도 좀 다르다.

5개가 보이고 있다. 오른쪽에는 대좌와 불상이 보이지 않아서 소실된 것인지 미완성인지는 알 수 없다. 특히 가-2의 불상 위쪽 암벽의 높이 3~4미터 부근에 1.5 × 2미터 정도의 다듬어진 면이 보이고 있는데 이 경우는 대형 불상을 안치하려는 원래 계획이 변경 축소된 것으로 보인다. 이 불상군 가운데에서 통견의 입상 1분(가-7)은 1988년에 유실되었으나 1984년도 보고서에는 수록되었다.

석불 좌상(가-1) 뒤편에서는 금동 여래 입상과 금동 보살 입상이 각각 출토되었는데 전자는 대좌 좌측면의 흙 속에서 1차 발굴 조사 때(1984년), 후자는 대좌 향좌 뒷면 아래 부분의 흙 속에서 4차 발굴 조사 때(1989년)에 발굴되어 현재 전남대학교 박물관에서 보관하고 있다.

"가" 석불군의 협시 돌부처

"나" 석불군의 모습 이 돌부처들은 영화『아제 아제 바라아제』에 출연료를 한푼도 받지 않고 출연했다.

석조 불상군 "나"

석불군 "가"와 10여 미터 정도 떨어진 곳에 "가" 운주사 동쪽 산등성이의 암벽 하단에 분포한다. 암벽은 "가"군보다 작은 규모로 높이가 5미터, 너비가 25미터이며 암결은 수평이다. 암벽 하단은 많이 떨어내었고 중앙에 높이 475센티미터의 대형 입상이 주존으로 보이며 좌우에 입상 7분의 협시불이 배열된 상태이다. 우견편단의 석불 입상 1분은 1988년에 유실되었으나 1984년 조사 당시 "나"군에 위치한 것으로 밝혀졌다.

"나" 석불군의 주존 돌부처 높이가 475센티미터로 운주사에 서 있는 돌부처 가운데 가장 크다.

"다" 석불군의 오른쪽 모습

석조 불상군 "다"

동쪽 산등성이에 해당되나 "가"와 "나"군의 암반과는 연결되지 않으며 이 불상군 암벽 자체도 좌우로 양분되어 있다. 암벽의 크기는 오른쪽이 높이 4~5미터, 너비 11미터이고 왼쪽이 높이 8미터, 너비 18미터이다. 이 불상군의 오른쪽으로는 대좌 6개에 불두만 2분, 석불 입상 2분이 서 있고 왼쪽 암벽에는 방형 대좌, 원반형 대좌와 불상 3분이 세워져 있다. "다"군 역시 방형 연화 대좌에 앉은 석불 좌상 좌우에 입상이 놓이는 배열 상태를 보이고 있다.

"다" 석불군 주존 돌부처의 겨울 풍경 눈 속에 의연히 앉아 있는 돌부처의 모습을 보더라도 운주사는 계절적으로 역시 겨울이 제 맛이 난다.(맨 위)

미완성 돌부처 (위, 본문 55쪽 참조)

"다" 석불군의 주존 돌부처

"라" 석불군의 옛모습 『조선고적도보』의 사진

석조 불상군 "라"

원반형 연화탑에서 동쪽으로 20미터쯤 떨어진 곳에 위치한 이 석불군은 평지에서 10미터쯤 높은 암벽에 자리하고 있다. 운주사 동편 산등성이에 있지만 그 사이에 평지가 있어 "가" "나" "다"군과 곧바로 연결되지는 않는다. 이곳은 1987년까지는 논으로 경작되었던 곳이다. 암반 앞면을 다듬어 높이 2미터, 너비 3미터의 암벽 감실을 만들어 불상을 기대어 놓았다. 현재 불상 4분이 남아 있으나 대좌는 8개가 있는 것으로 보아 불상 4분이 다른 곳으로 이동된 듯하다. 이 불상군에는 발가락이 자세히 표현된 불상이 2분이나 있는 것이 특징이다. 라-4 불상의 특징은 발가락의 표현에서 찾을 수 있는데 발등과 선각된 발가락은 앞의 라-2 불상보다 더 부드럽게 묘사되어 있다. 약간 벌어진 듯한 발은 무늬가 없는 방형 대좌 위에 놓여 있다. 불상의 전체적인 느낌은 단아하여 앙증맞기까지 하다.

"라" 석불군의 모습 숲 속에 한적하게 서 있는 석불군의 모습

석조 불상군 "마"

　이 불상군은 현 법당에서 북서쪽으로 약 20미터쯤 떨어진 일명 공사 바위 아래에 있는 암벽 남쪽에 위치한다. 건물이 들어선 때문인지 석불군의 배열 상태가 상당히 흐트러져 있다. 본래와 유사한 상태로 보이는 석불 좌상과 석불 입상의 사진이 『조선고적도보』에 실려 있으나 석불 좌상의 위치가 옮겨지고 현재 대형 석불 입상이 보이지 않는 것으로 보아 유실된 것으로 생각된다. 원래는 다른 석불군과 마찬가지로 암벽 아래에 좌불을 중심으로 하여 좌우에 입상을 배치한 석조 불상군 형태였을 것으로 추정된다.

"마" 석불군의 모습 『조선고적도보』의 사진으로 암벽 불상군의 전형적 형태이며 대형 석불 입상은 행방을 찾을 수 없다.(맨 위)
"마" 석불군의 모습 『조선고적도보』 사진과 비교해 보면 암벽에 등을 대고 앉은 배치로 그 뒤에 누군가 흐트러뜨린 듯하다.(위)

"마" 석불군의 주존 돌부처 『조선고적도보』의 사진에서는 상대·중대·하대석을 제대로 갖추었으나 지금은 넘어져 코가 깨지고 상대석만 남아 있다.(옆면)

"마" 석불군의 협시 돌부처 서로 어깨를 기댄 돌부처(탁본)는 사람들이 흔히 부부 부처나 다정한 돌부처로 부르는데 대좌가 없고 옛 사진에는 한 분만 홀로 있는 것으로 보아 옮겨진 뒤 덧붙여진 이야기인 듯하다.(위)

"마" 석불군의 파손 불두 부처의 머리에 5개의 구멍이 나 있는데 눈, 코, 귀, 입 등을 잘 다듬어 놓고 어떤 연유로 이렇게 한가운데에 구멍을 뚫어 놓았는지 모를 일이다. 돌을 쪼개려는 채석 구멍과는 다른데 사람들은 이 구멍 만지기를 좋아한다.

석불군의 현재 상태는 주존상으로 보이는 좌상이 암벽 방향과 90도 정도 서쪽으로 몸을 돌리고 그 오른쪽에 소형 좌상 1분, 중앙에 구멍이 있는 불두편과 서로 어깨를 기대고 있는 석불 입상 2분이 있다.

암벽은 높이 15미터, 너비 20미터로 마애 여래 좌상이 새겨진 암반과 연결되어 중앙부와 하단을 깎아 불상을 보호하기 위한 감실 형태를 이루고 있다. 감실 형태의 구조물 흔적으로 보이는 길이 14센티미터, 너비 8센티미터, 깊이 6센티미터의 구멍 4개가 좌우, 상하단에 나 있다.

암벽 오른쪽 맨 끝에 불상 2분이 서로 어깨를 기대고 있는 돌부처를 가리켜 '부부 부처'라고 부르고 있는데 이것은 대좌로 보아 원래 상태가 아니고 작위적인 위치 이동으로 보여진다.

"바" 석불군의 옛모습 『조선고적도보』에 실린 석불군 주변의 황량한 모습

석조 불상군 "바"

이 석불군은 서쪽 산등성이 와불로 올라가는 길 중간 부분의 암벽 아래에 위치한다. 동쪽 산등성이에 5개의 불상군이 있는 것에 비해 서쪽 산등성이에는 이 석불군뿐이다.

거대한 암반 위에는 석탑 2기가 서 있고 그 남쪽 측면에 불상이 안치되어 있다. 불상군이 놓인 암벽 크기는 높이 5미터, 너비 15미터이고 왼쪽편 일부는 암반이 떨어져 나가 3×4×2미터의 공간을 형성하여 암벽 감실의 조성 의도를 엿볼 수 있다. 불상군 암벽에는 높이 4미터 지점에 지름 1미터 정도로 암벽이 다듬어져 있어 불상군 가-2에서의 예와 마찬가지로 대형 불상을 안치하려 했던 흔적으로 보인다.

불상 배열 현황을 살펴보면 중앙에 앙련 대좌의 좌상이, 그 주위에 입상들이 놓여 있으며 대좌 12개와 불상 9분이 있다.

"바" 석불군의 겨울 풍경 온통 아수라장이던 바깥 세상에 흰 눈이 내려 폭설 속에 갇힌 돌부처들이 찾아온 탐방객들에게 "미끄러 질라! 조심하세요."라며 한가롭게 웃고 있다.

작은 돌부처 30센티미터 안팎의 자그만한 돌부처 3구가 조사되었는데 무슨 용도로 쓰기 위해 만들었는지 의문이다. 얼굴 표정이 토우 같다.

산재 석불 및 파손 석불

운주사의 석불 가운데는 제 위치를 상실한 채 흩어져 있거나 파손된 불상이 많다. 이러한 산재 석불과 파손 석불은 대개 불상군에서 이동된 것으로 보인다.

산재 석불은 모두 13분으로 이 가운데 11, 12, 13은 발굴 도중 수습된 소형 불상이고 3의 경우 세 조각으로 파손되었으나 도면상 복원이 가능하다. 1994년 2월경에 가보니 군(郡) 예산을 들여서 서로 연결하여 석조 불상군 "다"의 비어 있는 대좌 위에 세워 놓고 있었다.

돌부처 자연석을 반듯하게 다듬지 않고 거친 모습 그대로 쌓아 올린 돌탑 앞에 기대어 선 돌부처.

제작 도중 실패한 듯한 미완성 돌부처

파손 석불의 경우는 불두만 남은 18분과 불신만 남은 16분이 조사되었는데 도면상 복원을 시도해 보았으나 제짝으로 보이는 것을 발견할 수는 없었다.

조사된 불두는 모두 18분으로 그 가운데 4분은 대형이며 나머지는 중·소형이다. 목이 절단된 불두는 1, 3, 4, 5, 6, 7, 9, 10, 11, 14, 15, 16, 17로 모두 13분이며 코의 상단이 절단되고 목 아래가 절단된 불두는 8, 12, 13으로 3분이다. 코 상단만 남아 있는 불두는 2, 코 부분만 남아 있는 불두는 18로 각각 1분씩이다. 그 가운데 대형 불두는 크기나 정황으로 보아 칠성바위 주변의 암반 연화문 대좌가 원래 자리였음을 알 수 있었다.

산곡에 흩어진 16편의 불신은 '∧'형의 수인 11분, 'U자'형 수인 1분, 한 손은 들고 다른 한 손은 내린 수인 2분, 의습만 남아 있는 2분, 그리고 손가락이 묘사된 2분이 조사되었다. 대부분 불두를 결실하고 불신 부분만 남아 있다.

금동 여래·보살 입상과 소조 불두편

운주사에서 발굴 조사된 금동 여래·보살 입상은 건물지가 아닌 석불군 가-1·2의 대좌 사이와 석불 좌상(가-1) 대좌 뒤편에서 각각 출토되었다.

이 불상 가운데 양식상 1984년에 발견된 여래 입상의 경우 9세기에서 10세기 사이에, 1989년에 발견된 보살 입상의 경우는 9세기경에 만들어진 것으로 보인다. 그런데 제작 연대와 실제 사용 연대 및 매장된 연대에 많은 차이가 있어 이것만 가지고 창건 시기와 관련지어 그 상한 연대를 추정하는 데는 많은 주의를 기울여야 한다. 그리고 용강리 건물지에서 수습된 소조 불두편은 전각 안에 많은 수의 불상(예:천불전)이 봉안되었을 가능성을 상정해 볼 수 있으나 단정 지을 수는 없다.

금동 여래 입상

이 불상은 운주사 입구 9층석탑 우측의 석불군 "가" 가운데 연화문 대좌를 갖춘 석불 좌상(가-1)과 석불 입상(가-2)의 대좌 사이에서 쌓인 흙을 제거하던 도중에 발견된 것으로 1984년 1차 발굴 조사 때 보고되었다. 손가락과 발가락이 절단되었고 전면에 푸른 녹이 슬었으나 금도금 흔적이 얼굴 일부와 몸체에 약간 남아 있다.

이 금동불은 둥그런 육계와 이마보다 한 단 높게 머리에 나발이 양각되었다. 타원형의 상호는 눈썹, 눈, 코, 입이 편안한 표정으로 잘 조화를 이루고 있다. 특히 코는 주변보다 오똑하다. 눈은 주변과 가운데를 음각선으로 새겨 눈꺼풀 자체를 튀어나오게 하였다. 입은 꼬리 부분이 움푹하고 입술은 앞으로 도드라지게 튀어나왔다. 볼은 둥글고 원만한 곡선을 이루고 귀는 희미한 형태의 귓바퀴와 조금 늘어진 귓불이 양각으로 표현되었다. 목은 짧으나 삼도가 희미하게 선각되어 있다.

법의는 통견으로 양쪽 어깨에서 가슴으로 이어지는 'U자'형 옷주름이 무릎 부근까지 이어지는 전형적인 신라 금동불 형식을 보여 준다. 무릎 아래는 발목까지 일직선의 옷주름이 양다리에 밀착되어 있다. 이러한 옷주름은 주변을 선각하였으나 옷주름 자체는 약간 돌출한 양각이다.

수인은 오른팔은 들어올리고 왼팔은 내린 형태로 손바닥을 밖으로 향한 시무외인과 여원인으로 보여진다. 손목 위는 옷에 덮여 있고 옷자락이 무릎 근처까지 늘어져 있다. 발은 양각으로 묘사되었는데 발가락 대부분이 손상을 입었다. 등은 납작하며 머리에 1개, 몸체에 5개의 장방형 구멍이 나 있고 내부는 텅 비어 불상의 주조 과정을 알 수 있는 자료로 주목된다. 그러나 대좌와 광배가 설치되었던 흔적은 없다.

금동 보살 입상

1989년 4차 발굴 조사 때 석불군 "가" 가운데 연화문 대좌가 있는 석불 좌상의 대좌를 중심으로 왼쪽 뒤편의 흙 속에서 출토되었다.

금동 불상의 앞모습   금동 불상의 뒷모습

금동 보살상의 앞모습   금동 보살상의 뒷모습

팔각 연화문 대좌를 갖춘 보살 입상으로 전면에 푸른 녹이 심하게 슬어 있으나 자세히 보면 몸체 일부에서 금도금 흔적이 발견된다. 천의 자락이 조금 떨어져 나갔고 상호가 심하게 부식되어 있지만 대체로 양호한 편이다.

이 금동 보살상은 머리 정상부를 특히 강조하여 장방형으로 솟아 있고 이마에 관을 쓴 것 같은 돌출띠가 있다. 보발은 귀를 가로질러 양어깨로 늘어져 있다. 어깨에서 시작한 천의 자락은 동체 측면에 'S자'형의 곡선을 이루며 대좌에까지 이어지고 있다. 상호는 눈썹과 코 흔적만 남아 있어 그 표정이 선명치 않다.

상체는 맨몸이고 왼팔은 약간 밖으로 구부려 들어올린 상태이며 손에 보병을 쥐고 있다. 오른팔은 몸체 측면에 그대로 내리고 손아귀를 반쯤 쥔 상태이다. 하체 표현은 허리에 두른 띠가 배 중앙에서 매듭져서 좌우로 끝이 벌어져 있다. 양다리는 비교적 양감 있게 묘사하였고 무릎을 약간 굽혀 삼굴 자세를 취했다. 옷주름은 하단으로 가면서 'U자'형 의습이 대칭되게 양각으로 장식되었다. 양발 사이에는 오른쪽 발등으로 흘러내린 옷자락이 탄력 있게 마무리되어 있다.

대좌는 홑꽃 8엽의 앙련이 양각된 상대와 원형의 중대가 있다. 하대좌는 8각형인데 홑꽃 8엽의 복련으로 끝이 살짝 들려 있으며 3단 괴임 아래에 투조된 안상을 마련하고 2단 괴임으로 마무리하였다.

불상은 전체적인 모습은 얼굴이 오른쪽으로, 하체는 왼쪽으로 약간 틀어져 전통적인 삼굴 자세를 취하려 한 흔적이 엿보인다. 넓은 어깨와 풍만한 가슴, 가는 허리에 상체는 뒤로 5도 정도 젖혀진 상태로서 8, 9세기 통일신라 보살상의 전형을 보여 준다.

소조 불두(佛頭) 조각

1988년 3차 발굴 조사 때 용강리 건물지 내부에서 출토된 것으로 귀 일부와 불신을 연결하는 돌기만 남아 있다. 단아한 귓바퀴 형태는 뚜렷하며 귓구멍은 5센티미터 정도 패여 있다. 또 이 불두편에는 불신부와의 연결을 용이하게 하기 위해서 길이 3센티미터, 지름 2.5센티미터의 돌기가 있다. 비교적 정선된 태토에 모래가 약간 섞여 있으며 표면은 황갈색, 내부는 회색을 띠고 있다.

이 소조 불두의 출토로 전각 안에 많은 수의 불상이나 승상(예:천불전, 오백나한전)이 봉안되었을 가능성을 상정해 볼 수 있으나 크기가 일반 천불이나 오백나한보다 매우 작고 현재 남은 형태가 아주 작은 조각뿐이어서 정확한 용도는 알 수 없다.

불상의 양식적 특징

운주사의 불상은 총 1백 분이다. 이 가운데 7분(금동 여래·보살 입상, 소조 불두편, 산재 석불-11, 12, 13, 불두편-18)은 새로이 발굴 조사된 것이고 2분(석불군 가-7, 나-9)은 1984년에는 조사되었으나 유실되어 현재 91분이 남아 있다. 운주사 불상 1백 분 가운데 제작 시기가 통일신라에 해당되는 금동불·보살 입상과 재료에서 차이를 보인 소조불 3분을 제외한 총 97분을 대상으로 자세, 상호, 수인, 법의, 광배 및 대좌로 나누어 불상의 전반적인 형식을 살펴보겠다. 이들 중 상태가 온전한 것은 55분, 어느 한 부분이 깨져서 불완전한 것은 42분이다.

자세

운주사 석불상 97분 가운데 자세를 알 수 있는 73분을 대상으로 정리해 보면 좌상은 12분(와불 좌상, 광배를 갖춘 석불 좌상, 석조 불감 안의 남·북쪽 석불 좌상, 마애 여래 좌상, 석불군 가-1, 다-7, 마-3·4·5·6, 산재 석불-13)이고 나머지 61분은 입상이다. 하지만 불두편 24분도 입상으로 여겨지는 것이 많아 입상이 대체로 많을 것으로 보인다.

"바" 석불군의 협시 돌부처 3 일명 도포식 손 모습을 하고 앉아 있다.(탁본)

"바" 석불군의 협시 돌부처 4 선종화의 감필 맛이 물씬 나는 최고 경지의 돌부처(탁본)

좌상 가운데 소형은 3분(석불군 마-4, 바-3, 산재 석불-13), 대형은 9분이다. 형태는 항마좌 1분(석불군 마-5)과 묘사 안 된 1분(산재 석불-13), 의습에 가려져 알 수 없는 것(석불군 바-3), 길상좌는 나머지 9분이다. 이 가운데 마애 여래 좌상은 탈락이 심하여 단언할 수는 없으나 전반적인 의습 상황으로 보아 길상좌로 생각된다.

또한 좌상 가운데 발을 표현한 예는 3분으로 조사되었는데 2분(석불군 다-7, 마-5)은 발 형태만 간략히 묘사하였으나 1분(석조 불감 안의 남쪽 석불 좌상)은 발바닥까지 자세히 새긴 편이다.

입상 가운데 대형은 5분(시위불, 와불 입상, 석불군 나-3, 바-4, 산재 석불-3)이고 56분은 중·소형이다. 또 발이 드러나 있는 4분 가운데 석불군 다-5는 발 형태만, 석불군 라-2·4나 시위불은 발가락과 발등까지 묘사되어 있다.

상호(相好)

97분 가운데 머리 표현에서 관모나 똬리를 얹은 형태로 육계가 뚜렷한 예는 34분이며 정수리가 솟은 민머리 형태는 43분이다. 측면에서 보면 전자는 후자에 비해 꺾어지는 각도가 심한 편이다.

머리에 비해 이마를 한 단 낮게 표현한 예는 7분(와불 좌상과 입상, 시위불, 석불군 가-1, 나-1, 산재 석불-9, 불두편-9)으로 조사되었으며 양미간 사이에 백호를 표현한 예는 광배를 갖춘 석불 좌상 하나뿐이다. 눈썹은 하단을 파내어 단이 지게 하였는데 대부분 완만한 곡선으로 표현되었으나 8분(석불군 가-4·6·7, 나-3, 마-4, 바-1·5, 산재 석불-7)은 중간 부분이 희미해져 눈을 치켜뜬 것같이 보인다.

눈의 표현 역시 대부분 조각되지 않았으나 비교적 선명한 7분(와불 좌상과 입상, 시위불, 석조 불감 안의 남·북쪽 석불 좌상, 석불군 바-4·6)은 수평으로 가늘게 묘사되었다. 이 가운데 석조 불감 안의 남쪽 석불 좌상은 눈꼬리가 위로 치켜 올라가 있다.

코는 장대하게 표현하고 있으나 코끝이 닳거나 파손된 경우가 많다. 이는 돌부처의 코를 갈아 그 가루를 물에 타서 마시면 득남한다는 속설의 영향인 듯하지만 옮겨지는 도중 넘어져서 파손되는 경우도 있으므로 획일적으로 적용하기는 어렵다. 다만 석불군 가-2 석불 입상의 코가 특히 많이 깨졌는데 동네 어르신의 말을 빌리자면 어느 임신한 처녀가 낙태를 하기 위해 부처님의 힘을 빌리려고 할 때 몰래 숨어서 이 광경을 지켜 보던 사람이 장난으로 "아이고, 내 코야!" 하고 소리를 지르자 이에 놀란 처녀가 낙상하여 유산을 했다는 낙태 설화가 전해지고 있어 매우 흥미롭다.

인중은 음각선으로 표현되어 있는데 5분(와불 좌상과 입상, 석조 불감 안의 남쪽 석불 좌상, 불상군 가-2, 산재 석불-4)이 가장 뚜렷하다.

귀는 대부분 거칠고 크게 형태만 묘사되었으나 귓바퀴까지 조각한 예(광배를 갖춘 석불 좌상, 마애 여래 좌상, 석불군 가-1·3, 나-3, 라-2·4, 산재 석불-3, 불두편-1)도 9분이 있다.

입은 대부분 표현되어 있지 않으나 가늘고 좁게 형태만 표현된 예와 넓고 두텁게 표현된 예가 있는데 전자는 11분(석조 불감 안의 북쪽 석불 좌상, 석불군 나-3·8·9, 라-2, 마-2·5, 바-4·5·6, 산재 석불-11)이고 후자는 8분(와불 좌상과 입상, 시위불, 석조 불감 안의 남쪽 석불 좌상, 광배를 갖춘 석불 좌상, 석불군 가-2, 산재 석불-4, 불두편-1)이다.

목의 삼도는 3조 음각선으로 표현한 예가 23분(마애 여래 좌상, 석조 불감 안의 남·북쪽 석불 좌상, 석불군 가-2·3, 나-2·4·5·7·8, 라-1·2·3·4, 마-5, 바-8, 산재 석불-2·5, 불두편 8·12, 불신편-3·4·8)으로 대부분 측면 일부까지만 묘사되고 말았다.

수인(手印)

손의 모습을 알 수 있는 것은 97분인데 불교 조각의 보편적인 모습을 보여 주는 수인이 드물어 이를 통해 부처의 성격을 뚜렷하게 규명하기는 힘들다.

가장 많은 손의 모습은 가슴에 두 손을 모으고 그것을 의습으로 덮은 '八'형으로 돋을새김을 한 것인데 47분이 조사되었다. 이는 비로자나불의 지권인 혹은 합장한 모습으로 추정되는데 이 수인의 모습이 좀더 명확히 규명될 때 운주사 일대의 불교 사상적 배경을 추정할 수 있을 것이다. 그 다음으로 배 부근에서 두 팔을 소매 안에 넣고 있는 'U자'형으로는 6분(석불군 가-6, 마-2, 바-2·3, 산재 석불-5, 불신편-12)이 있다.

항마인의 변형으로 여겨지는 손의 모습은 5분인데 석불군 다-7, 마-4·5는 양손바닥을 무릎에 대고 있고 불상군 바-6은 왼손바닥을 무릎에 대고 있으나 오른손을 뒤집어서 무릎에 대고 손가락을 반쯤 오므리고 있다. 석조 불감 안의 남쪽 석불 좌상은 왼손바닥을 무릎에 대고 있는 것은 위의 것들과 동일하나 오른손바닥을 배에 붙여 묘사하고 있다.

통인(시무외인·여원인)의 변형으로 추정되는 손 모양은 12분이다. 그 가운데 왼손을 올리고 오른손을 내린 형태가 4분, 그 반대의 자세가 8분이다. 전자는 와불(석불 입상), 석불군 나-8, 라-4, 불신편-1이고 후자는 시위불, 석불군 가-4, 나-3·7, 다-8, 마-1, 산재 석불-9, 불신편-2이다.

이 밖에 산재 석불-1과 같이 왼쪽 팔만 아래로 내려 하체 측면에 붙인 예도 있으며 석불군 나-2의 경우는 두 손을 모은 합장인의 자세를 취하고 있다.

법의(法衣)

법의는 대부분 음각선으로 묘사되어 있다.

우견편단의가 대부분으로 48분이며 그 반대인 좌견편단은 와불(석불 입상) 1분이다. 통견의는 15분(석조불감 안의 남쪽과 북쪽 석불 좌상,

석불군 가-4·7, 다-3, 마-2·4·5, 바-2·3·6·7, 산재 석불-4·6, 불신편 -1)이고 우견편단으로 보이나 의습이 묘사되지 않는 것도 3분(시위불, 석불군 나-5, 불신편-16)이 있다. 특히 석불군 다-7은 통견의 의습이나 역시 오른쪽 어깨에 아무런 표현이 없는 통견식 우견편단이다. 법의에 의습이 생략된 것도 29분이나 된다.

광배와 대좌

광배를 표현한 것은 네 가지(마애 여래 좌상, 광배를 갖춘 석불 좌상, 석조 불감 안의 남쪽과 북쪽 석불 좌상)가 있다. 모두 화염문을 거칠게 음각해 넣고 있다. 화염문은 마애 여래 좌상과 광배를 갖춘 석불 좌상이 유사한데 한쪽은 끝이 말아지고 다른 쪽은 위쪽으로 구불구불 올라가는 형태이다. 석조 불감 안의 석불 좌상은 화염문으로 생각되는 도식화된 형태를 보여 주며 남쪽 석불 좌상은 구불구불한 선만 나타나며 북쪽 석불 좌상은 물방울 모양을 하고 있다.

대좌의 형태는 대개 방형이나 간혹 원형을 취하고 있다. 잡석을 대좌 시설로 사용하는 경우도 있다. 이 밖에 석조 불감의 남쪽과 북쪽 석불 좌상은 석조 감실 안에 안치되어 있는 경우와 암반 대좌를 한 시위불 그리고 앙련을 평판적으로 표현한 마애 여래 좌상이 있다. 이것으로 보아 운주사 석불들은 어떤 형태이건 반드시 대좌에 안치되어 있음을 알 수 있다.

방형 대좌 가운데 거칠게나마 연화문이 표현된 것은 다섯 가지(석불 군 가-1·2, 다-7, 마-5, 바-6)이다. 석불군 가-1·2는 복련이고 나머지 는 앙련이다. 상·중·하대석을 완전히 갖춘 것은 석불군 바-6뿐이고 석불 군 마-5는 훼손되었으며 석불군 다-7은 중대석이 없다. 석불군 다-7 과 바-6의 하대석은 3단 괴임이다. 이들 가운데 석불군 가-2만 입상이 고 그 밖에는 좌상인 점을 볼 때 석조 불상군 가운데 중심적 위치를 차지하는 것은 성대한 대좌로 꾸미고 있음을 말해 준다.

광배를 가진 돌부처의 탁본한 모습

이 밖에 원형 대좌는 석불군 나-3, 다-8로 두 가지 예가 있는데 모두 입상이며 다-8은 문양이 없고 나-3은 복련이다. 끝으로 잡석으로 된 대좌의 경우는 석불군 가-6, 나-1·5·6·7·8, 다-2·3으로 8가지 예가 조사되었으나 이 가운데 석불군 다-3은 불두편을 놓기 위한 후대인의 행위가 분명하다.

그리고 특기할 것은 석불군 나에서 잡석 대좌가 많이 발견된다는 사실이다. 대형 석불 입상의 방형 대좌 이외에 이렇다 할 대좌가 없는 것은 다른 불상군의 예와 비교할 때—나군의 주존이 다른 불상군에 비해 입상인 점과 함께—예외적인 현상으로 여겨진다.

불상의 건립 배경

운주사 일대의 석불은 형상이 단순화되고 변형이 심하며 그 조각 수법 또한 거칠고 평판적이다. 이러한 석불의 상호나 수인, 의습 표현 등은 삼국시대부터 이어온 전통적 불상 조각의 정형에서 크게 벗어난 파격적인 면을 지니고 있다. 수많은 전체 석불들이 거의 유사한 정서와 조각 수법을 지닌 점 또한 독특한데 그 퇴락한 양식적 특징은 주변의 거친 돌을 사용한 결과이기도 하다. 이에 따라 운주사의 석불들은 일반적인 불상 조각의 도상 해석에 큰 어려움을 준다. 이러한 경향은 미술사적 관심보다도 오히려 신비스러운 민중적 설화로 문학적 해석과 상상력을 불러일으키는 결과를 낳기도 하였다.

그러나 면면히 살펴보면 운주사의 석불들은 크게 두 부류로 나뉜다. 그 하나는 비교적 도상 설명이 잘 정리되고 형상의 표정이 또렷한 불상들로 와불과 석조 불감 안의 남쪽과 북쪽의 석불 좌상, 광배를 갖춘 석불 좌상 등이며 또 다른 부류는 석벽을 따라 배치된 불상군으로 앞의 불상들보다 거칠고 평판적인 표현을 보여 준다.

표고 버섯 재배장을 지키는 돌부처

눈고깔 모자를 쓰고 있는 돌부처

이 두 부류가 지닌 표현의 차이는 제작 시기의 선후에서 오는 것으로 해석될 수도 있겠고 전자의 경우 비교적 정심한 석불의 표현 경향은 이들이 운주사 일대의 사상적 중심을 이루는 예배 대상이었기 때문인 것으로 짐작할 수 있겠다.

이러한 양식적 특징을 지닌 운주사 불상의 제작 시기에 대해서는 그 퇴락한 조각 수법으로 보아 조선시대까지 내려 보기도 하지만 일반적으로는 고려시대로 의견이 모아져 있다. 이는 지금까지 네 차례의 발굴 성과를 통해서도 충분히 접근이 가능한 의견이다. 곧 용강리 건물지를 발굴한 결과 11~12세기에 조성되었을 가능성을 타진해 볼 수 있었다. 그리고 주변의 도편과 토기편, 기와편의 수습 결과는 적어도 11세기 또는 이전의 것 이른바 해무리굽 청자편들이 발견됨으로써, 또 운주사 일대의 석불과 관련이 적을 것으로 여겨지지만 9~10세기에 제작된 것으로 추정되는 금동 불·보살 입상이 발견됨으로써 그 상한 연대를 추정할 수 있게 되었다.

고려 전기에는 신라 양식의 계승과 함께 신라 말부터 두드러지는 사실적 묘사가 크게 퇴화된 양상을 보여 준다. 특히 각 지방에 조성되는 불상의 경우 더욱 그러하다. 이런 경향은 신라 말에 지방 호족의 세력이 성장한 이후에 주로 나타난 것으로 해석되는데 파격적이고 독특한 변형이 때로는 도전적인 단순미나 기괴스러운 토속적 미감마저 느끼게 해주고 있다. 10~11세기의 개태사 석조 불·보살 입상 3분, 관촉사 석조 관음보살 입상, 대조사 석조 미륵보살 입상, 정림사지 석불 좌상, 괴산 미륵리 석불 입상, 파주 용미리 석불 등 거대 석불이 그 좋은 사례이다. 그 밖에도 고려 전기에 여러 지역에서 나타난 기괴스럽고 사실적인 표현 양식은 크게 파괴된 석불이나 마애불, 철조불의 예 등에서 어렵지 않게 찾아볼 수 있다.

운주사 근처에서도 나주 철천리 석조 칠불상과 석불 입상이 그러한 양상을 뚜렷하게 지니고 있다. 그리고 10~11세기로 추정되는 오대산 일대의 한송사지 석조 보살 좌상, 선복사지 석조 불좌상, 월정사 석조 불좌상 등은 비교적 정제된 표현을 보이면서도 기존의 불교 조각과는 색다른 양식을 보여 준다. 이들에 대해서 충분히 연구, 정리된 상태는 아니지만 대체로 지역적인 특징이 두드러지게 나타나는 점 또한 고려 전기 불상 조각의 양상으로 여겨지는데 이것은 그만큼 지역에서 성장한 호족 세력의 이념과 지역민의 미적 정서가 여실히 반영되었을 것으로 해석되기 때문이다.

이들 고려 전기 불상 조각의 경향은 기괴스럽고 토속적인 당시 불교 사상사적 양상과 관련해 볼 때 시사하는 바가 많다. 고려는 통일 과정에 서 도선의 풍수도참설을 이용하였고 통일 뒤에도 지배 권력층은 불교의 중흥을 통하여 통치력을 강화해 나갔다. 그런데 특히 고려 초기의 사회 에는 체계적인 불교 사상이나 교리의 합리성보다는 의례적이거나 주술 적이고 신이적(神異的)인 측면이 강조됨으로써 민간 신앙과 결합된 양상을 두드러지게 보였다. 바로 이점이 운주사에 배치된 칠성석의 신앙 적 성격과도 관련이 있을 것으로 판단된다.

12~13세기 무인 집권기 이후에는 선학(禪學)이 지배적인 교세의 중심이 되어 조상 활동이 적어지는 듯하다가 고려 후기에 들어서면서 이른바 '신고전적 양식(단아 양식:문명대 교수설)'이 유행하게 된다. 따라서 13~14세기 고려 후기의 불교 조각은 불상의 전통을 되찾은 것으로 장식이 지나치고 표정이 근엄하며 딱딱한 양식이 두드러지게 되었다. 이 경향을 띤 금동불의 제작이 많아지면서 화려한 채색의 불화 가 함께 유행하였다. 또 고려 후기의 양식은 일정하게 퇴락되면서 조선 시대에까지 계승되었다.

이상의 고려시대 불상 조각에 대해서는 최근 들어 관심을 갖기 시작 하였으나 그 연구 성과가 아직 미흡하고 채 정리되지 않은 실정이다.

그런데 운주사의 석불을 고려시대 조각사의 흐름에 대비해 보면 운주 사의 석불은 정형이 깨지고 심하게 변형되어 있지만 13세기 이후의

후기 조각 경향과는 큰 차이를 나타낸다. 오히려 각 지방에 조성된 지방
민과 호족 세력의 정서가 반영된, 파격적이고 도전적인 미감의 단순한
조각 양식이 유행했던 고려 전반기 불상에 가깝다.

　이렇게 볼 때 고려 승 혜명이 조성했다는『동국여지지』의 기록은
운주사 석불의 조성 시기를 10세기 말∼11세기 초로 가장 근접하게
설명해 주는 것이 아닌가 싶다. 더욱이 혜명이 제작하였다는 관촉사
석조 관음보살 입상과 운주사의 석불은 그 제작 수법과 정교함의 측면에
서 큰 차이가 나지만 신비적이고 독특한 경향과 감정은 어떤 양식적
동질성을 느끼게도 해준다. 또한 '혜명(惠明)'과 '혜명(慧明)'은 용례상
서로 통하는 글자이므로 동일인으로 보아도 무방하며『일봉암기』나
『개천사 중수 상량문』에서 은진 지방에 대인 석상을 세우고 천불천탑을
운주 골짜기에 만들었다는 기록으로 미루어 부족한 대로 편년 추정의
근거를 추스를 수 있다(이 책 114∼117쪽 참조).

칠성바위와 돌을 깨고 나른 흔적들

칠성석

　운주사 불적 가운데 계곡 왼쪽 산등성이 허리께에 위치한 7개의 바위는 특히 눈길을 끈다. 이 바위는 언뜻 보면 원반형 7층석탑의 옥개석으로 보이기도 하나 자세히 관찰하면 북두칠성이 지상에 그림자를 드리운 듯한 모습의 배열 상태와 원반 지름의 크기가 북두칠성의 방위각이나 밝기와 매우 흡사하여 칠성석일 가능성이 높다. 이는 고려시대 칠성 신앙의 근거지이며 천문학적인 관측 자료로서 그 가치가 매우 높다.

칠성석 규격표

(단위:센티미터)

	지름	평균 지름	두께	비고
1	273~280	276.5	33	
2	292~298	295.0	32~35	
3	228~234	231.0	33~36	
4	230~235	232.5	37~38	
5	385	385.0	45~56	2줄의 채석 구멍
6	325~331	328.0	29~35	1줄의 채석 구멍
7	331~342	336.5	35	

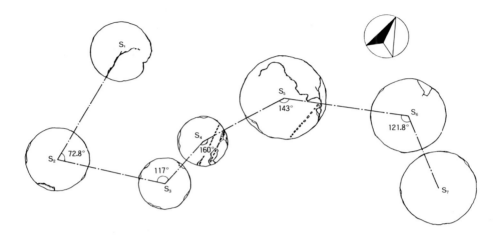

칠성바위 배치도

　표에서 살펴본 것처럼 지름은 228~385센티미터에 이르고 두께는
30~45센티미터이다. 5번을 제외하고는 모두 10센티미터 정도 더 긴
타원형으로 지름이 균일하지 않다. 측면과 상면이 잘 다듬어져 있고
아랫면은 바닥에 묻혀 있어 자세하지 않으나 대체로 다듬지 않았으며
4번은 채석 구멍이 남아 있다.

　7개의 원반형 석재의 성격에 대해서는 칠성 신앙의 조형물인 북두칠
성석으로 보는 관점이 대두되어 있다. 곧 석재의 배열 상태가 북두칠성
과 유사한 형태로 되어 있고 지름의 크고 작음이 별의 밝기와 어느 정도
비례한다는 것이다. 야촌효문에 의해 최초로 이러한 견해가 제기되었고
국내인으로는 성춘경 씨에 의해 확인되었으며 최근에는 박종철 씨가
칠성석 배열 상태와 북두칠성에 대해 좀더 세밀한 검토를 시도한 바
있다.

칠성바위 바위의 지름이 북두칠성의 별 밝기와 비례하고 배치 간격이나 각도가 북두칠성과 유사하여 북두칠성 신앙의 주요 유적지이다.

칠성바위 옆의 암반에 새긴 연꽃무늬 대좌 대좌의 규모로 미루어 보면 돌부처의 크기는 대개 5미터 내외의 대형 입상으로 그 아래 개울가에 150센티미터에 달하는 대형 불두가 놓여져 있어 암반 연화문 대좌에서 떨어진 것으로 추정된다.

불상 채석장

서쪽 산등성이에는 불상을 제작하기 위해 채석한 흔적이 십여 군데 보이고 있다. 그 가운데 칠성석에서 와불 쪽으로 가는 사이의 암반에 그 흔적이 가장 뚜렷하게 남아 있다. 노출된 암반의 크기가 가로 27미터, 세로 20미터로 넓은 편이며 동쪽으로 10도 정도 낮게 경사져 있다.

여기에 전체 길이 560센티미터, 현재 너비 140센티미터의 석재를 채석해 간 듯 패인 흔적이 있는데 그 상태가 대형 입상을 떼어 낸 듯하다. 불상 머리 부분에 해당되는 곳은 길이가 125센티미터에 현재 너비 80센티미터, 현재 불신 너비가 140센티미터로 조사되었다. 현재 상태는 한쪽 어깨 부분이 남아 있어 그것을 통해 복원해 보면 전체 길이 560센티미터, 머리 길이 125센티미터, 머리 너비 80센티미터, 어깨 너비 150센티미터, 하단 너비 180센티미터, 두께 30센티미터 정도이다.

암반에서 불상 외곽 형태의 암석을 채석하는 과정과 암반에서 불상을 떼어 내는 채석 방법은 앞의 채석장에 길이 11센티미터, 너비 6센티미터, 깊이 10센티미터의 채석 구멍 21개의 흔적을 통해 알 수 있다. 돌을 쪼개기 위해서는 먼저 암반에 직사각형의 채석 구멍을 내고 거기에 정을 대고 망치로 내리쳐 결에 따라 암석을 분리하는 방법을 사용하였을 것으로 보인다. 특히 산재 석불 3을 떼어 낸 곳으로 추정되는 채석장에서 길이 14센티미터, 깊이 12센티미터를 떼어 내고 남은 흔적이 13개 정도 보이고 있어 이러한 채석 방법을 확연히 짐작할 수 있다.

암반 마멸 흔적

불상이나 탑재 원석, 칠성석 등의 운반에 쓰였을 구조물을 찾다가 이러한 과정을 엿볼 수 있는 암반의 마멸 흔적이 조사되었다. 길이 94센티미터, 너비 250센티미터의 암반에 너비 12~17센티미터, 현재 길이 16~41센티미터, 깊이 3센티미터 정도 음각된 6줄의 마멸선이 남아 있다. 이 마멸선은 주변보다 중심부가 더 깊고 계곡 아래 방향으로 다듬

채석장

암반 마멸 흔적

어져 있으며 경사진 하단 부분이 더 깊어 철선이나 동아줄에 의한 마멸 흔적으로 보인다. 이와 더불어 운반 중에 있는 탑재 기단 원석으로 보이는 바위와 불상 형태의 원석이 주변에 남아 있어 이러한 가능성을 더욱 더 뒷받침해 주고 있다.

조성 시기의 문제와 최근의 발굴 성과

　이러한 운주사 석탑과 석불의 조성 시기에 대한 문제를 풀기 위해서는 현지의 탑과 불상의 양식적 특징을 유심히 관찰해 보아야 한다. 불상과 탑의 모양새는 크게 보면 비교적 전통성을 유지한 경우와 전통성에서 크게 벗어난 두 가지 유형으로 나뉜다. 불상에서는 크고 작은 돌부처를 암벽에 세우거나 앉힌 불상군이 이채로우며 와불과 석조 불감의 불상 그리고 마애불 등 각기 독립된 공간을 점유하고 있는 예배상 유형이 그런 대로 격조를 갖춘 편이다. 탑에서는 백제계나 신라계 그리고 전형적 고려 탑의 면모를 갖춘 방형 옥개석의 전통식과 원반형이나 원구형의 옥개석을 쌓아 놓은 특이한 유형으로 구분된다. 불상이나 탑의 생김새 차이가 제작 시기의 일정한 경과를 의미하는 것으로 추정되지만 단순한 배열상의 문제일 수도 있어 지금으로서는 확인하기 어렵다.

　일찍이 운주사는 도선 국사에 의해 창건되었다고 알려져 왔으나 전남대학교 박물관에서 1989년에 시행한 '운주사 종합학술조사' 때 김동수 교수가 새로운 문헌 기록을 찾아내는 성과를 거두었다. 고려 승(僧) 혜명(惠明)에 의해 조성되었다는 『동국여지』의 기록 "운주사 재천불산 서 사구폐 기좌우애학 석불석탑 대소심중 위지 천불천탑 우유일석실 기중이석불 격벽상배좌 언전 신라시소조 혹위 고려승혜명 유도중수천각령조성운(雲住寺 在千佛山西 寺舊廢 其左右崖墾 石佛石塔 大小甚衆 謂之

운주사 옛 절터의 석열들 운주사 옛 절터의 기단석과 용도를 알 수 없는 방형 석열의 모습이다.

범자 옴마니반메훔 숫막새 이 막새기와는 고려시대에 만들어진 것으로 처마끝에서 떨어져 뒤집힌 상태로 땅에 찍힌 보기 드문 모습이다.

千佛千塔 又有一石室 其中二石佛 隔壁相背坐 諺傳 新羅時所造 或謂 高麗僧 惠明 有徒衆數千 各令造成云)"이 그것이다.

　　이미 알려진 도선 국사의 창건설은 기본적으로 『도선국사실록』이라는 기록에 의한 역구전(逆口傳), 이를테면 조상 대대로 입에서 입으로 전해 내려오는 구전이 아니라 허망한 『도선국사실록』을 본 식자가 마을 사람들에게 가르쳐 주어 구전된 경우라는 사실이다. 또한 현재 남아 있는 석불과 석탑의 양식이나 가람터의 발굴 결과로 미루어 보아도 도선이 활동하던 9세기와는 거리가 멀다.

여기에 비해 혜명의 창건설은 훨씬 논리적인 구조를 가지고 있다. 일찍이 관촉사의 은진 미륵을 세운 혜명(慧明)과 운주사의 혜명(惠明)은 동일인이 아닐까 추정된다. '慧'자와 '惠'자는 한자에서 서로 통하는 용례가 많기 때문이다. 특히 『일봉암기』에는 은진에 대인 석상(大人石像)을 세운 것과 운주 골짜기에 1천 개의 불상과 탑을 세운 것을 가리켜 비보처에 물(物)을 세운 사례로 들고 있다. 두 지역을 병립시켜 서술한 이 기록은 운주사 창건에 대한 결정적인 자료로도 주목해 볼 필요가 있다. 이는 운주사의 불적 편년에 가장 근접한 시기이고 또 고려 초기에 괴력을 갖춘 신이적(神異的)인 불상 조성이나 불사가 많았던 것과도 상통하는 사료이기 때문이다.

그 동안의 발굴은 운주사의 옛 가람터의 조사를 중심으로 실시되었다. 계곡 입구 왼편 밭에서 많은 기와와 도자기 조각이 발견되어 발굴 조사한 결과 절터는 3층위를 이루고 있었다. 기와나 도자기, 조각 등의 출토 유물과 축조 구조를 종합해 볼 때 건물지는 하층이 고려 초, 중층은 고려 중기에서 후기, 상층이 조선 초기에서 정유재란(1597년)까지로 모두 3차에 걸쳐 지은 사실을 확인하였다. 이렇게 중창한 건물지들 가운데 하층과 중·상층은 축선이 15도 정도 틀어져 있어 어느 정도의 폐사 기간을 가진 흔적으로도 보인다.

상층 건물지에서 나온 홍치 8년명(弘治八年銘, 1495년) 기와에 등장한 시주자들로는 홍씨(洪氏), 이씨(李氏), 전씨(全氏), 권씨(權氏), 임씨(任氏), 오씨(吳氏) 정도가 판독되었다. 위의 3층위 중 과연 어느 층위에서 살던 이들이 천불천탑을 조성하였는가를 밝히는 것이 우리에게 던져진 문제이다. 하층인가, 중층인가, 아니면 하층이나 중층에서 시작하여 상층까지 계속적으로 이어진 역사(役事)인가? 현재로서 분명한 것은 상층이 불사의 시작이 아니라는 사실뿐이다. 우리는 그저 불상과 탑에서 두 유형으로 구분되는 모양의 차이가 이들 건물지의 층위와 일정한 관련을 가질 수 있지 않을까 하는 추론을 제시할 수 있을 뿐이다.

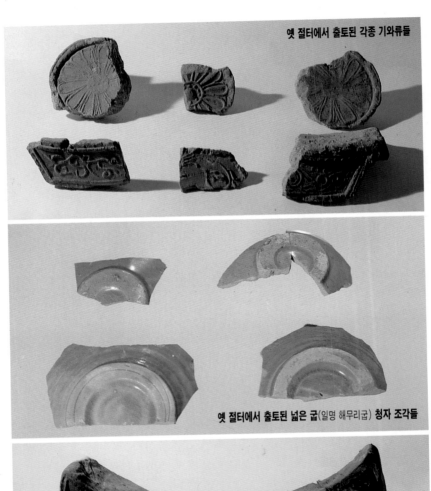

옛 절터에서 출토된 각종 기와류들

옛 절터에서 출토된 넓은 굽(일명 해무리굽) 청자 조각들

범자 옴마니반메훔 암막새 모습

'운주사환은천조(雲住寺丸恩天造)'명 암키와 모습

또한 발굴 성과 중 다른 하나는 금동불·보살 입상의 출토이다. 이 두 금동불은 절 입구 석불군의 주존불상 대좌 옆과 뒤쪽에서 발견되었는데 운주사의 돌부처들과는 달리 정통적인 형식의 조각 솜씨를 보여 준다. 이들은 그 제작 시기가 9~10세기쯤이므로 천불천탑을 조성한 집단과는 다소 거리가 있는 듯하다.

1989년의 조사에서는 이 밖에도 운주사의 석탑과 석불 제작과 운반에

운주사 옛 절터의 모습 고려 초기에서부터 조선 정유재란 때까지 크게 세 차례의 중창을 거친 흔적을 보여 준다.

관련된 유적을 발견하는 큰 수확을 거두었다. 와불에서 칠성석으로 가는 서쪽 산허리 주변의 암반에서는 불상을 떨어 낸 채석장이 확인되었고 암반이 마멸된 흔적과 운반 구조물들이 낙엽에 덮인 채 방치되어 있었다. 이러한 유적은 석불과 석탑의 제작 과정이나 운반 방법 등에 대한 이해를 도와준다.

최선의 조형물로 조화를 이룬 도량

　이처럼 신비에 싸인 운주사 불적의 베일을 벗기기 위해서는 제작 시기나 제작 기간은 물론이거니와 다탑봉에 천불천탑을 조성하려 했던 세력과 그들의 불교 사상적 성향 등이 구체적으로 드러나야 할 것이다. 곧 불사를 주도하는 승려들과 이들의 종교적인 열망을 경제적으로 후원하는 집단 그리고 불상과 탑을 만드는 제작자에 대한 다각적인 연구가 무엇보다 절실하다.

　발굴 결과 운주사의 초창 연대를 11세기까지 올려 보게 되었지만 이는 아직도 학계에 의견이 분분한 청자 발생 시기의 해무리굽 청자편(달무리 굽 또는 넓은 굽으로 고쳐 불러야 함)에 의한 시대 설정으로 나름대로 문제를 안고 있고 최하층의 건물지를 완전히 노출하지 않은 부분적인 발굴 조사로서의 약점을 안고 있기 때문에 방증 자료 수준으로 활용되어져야 할 것이다.

　어쩌면 당시 불교계와는 교리 자체가 다르면서 다만 지지 기반을 확보하기 위해서 기성 불교계로부터 소외받는 민중의 정서를 차용하는 현실적인 문제를 들먹이며 백성과 지방 유력자들을 부추기는 새로운 종파의 개척 포교당 같은 성격이지 않았을까 하는 생각도 든다. 또 나주 남평이나 화순 능주의 넓은 평야에 경제적인 기반을 가진 세력들이 승려의 의도와는 달리 중앙 진출을 꿈꾸며 동조했을 가능성은 없지 않았을까? 그리고 신도를 위해 짧은 기간에 대량으로 조성해야 하는 압력에 따라 '도중수천(徒衆數千)'의 석공(민중)들의 토속적인 심성이 적극적으로 반영된 것은 아닐까? 어쨌든 운주사의 석불과 석탑을 보며 확실하게 말할 수 있는 것은 그 거친 석질로는 더 이상의 조각 솜씨가 발휘될 수 없는 최선의 조형물로 조화를 이룬 도량이라는 점이다.

요즘 운주사는 새로이 절집을 짓고 있어서 무척 바쁘다. 1980년대 중반까지 허름한 요사채만이 지키고 있던 운주사 일대의 석탑과 석불 주변은 논과 밭이었다. 그리고 능주 또는 남평에서 운주사로 가는 비포장 도로는 논길과 산길로 사람들의 손길에 훼손되지 않은 신비감과 자연미를 간직하고 있었다. 그래서 삶을 위한 생산의 터전과 신앙, 종교적 조형물이 자연과 어우러져 그야말로 사람의 생활 속에 살아 있는 예배 공간이었다. 그런데 이 감명 깊던 유적이 새롭게 단장되면서 그 맛을 잃어가고 있다. 관광지로 개발하기 위해 도로를 포장하였고 인근에는 골프장도 들어섰다. 그런데다가 경관에 어울리지 않게 크게만 지은 대웅전이나 지장전과 어떤 신도가 세웠는지 절 입구 석불군 옆의 희고 멀쑥한 화강암 석탑과 석등 또 문화재로 지정되면서 둘러친 철재 보호망 등은 운주사 유적이 본래 지니고 있던 조화로운 분위기를 깨고 있어 안타깝기만 하다.

모전석탑 2 벽돌탑 모양을 돌로 만든 탑으로 낙뢰를 맞은 탓인지 옥개석 일부가 파손되어 있다.

주(註)

1) 野村孝文,「全羅南道 多塔峰の遺蹟」,『朝鮮と建築』 19-8, 1940. 京城;關野貞,『朝鮮 の建築と藝術』, 岩波書店, 1941, 東京. pp.562~564;杉山信三,『朝鮮の石塔』, 漳國 社, 1944, p.202.

2) 최몽룡,「화순 운주사의 탑상」,『광주商議』 1977. 2월호;성춘경,「運舟寺의 천불천 탑」,『月刊全每』 1980. 2월호. 성춘경,「전남의 문화재에 대한 고찰(상)」,『금호문 화』 1983. 7~8월호;김혁정,『화순 천불동의 석불과 석탑』 전남대 교육대학원 석사 논문. 1984;박경식,「화순 雲住寺의 석탑에 관한 고찰」,『박물관기요』 5. 단국대 중앙박물관, 1989.

3) 1차발굴조사는 1984. 5. 3.~6. 20., 보고서는『雲住寺』로 간행(1984년);2차는 1987. 9. 12.~11. 10., 보고서는『雲住寺Ⅱ』로 간행(1988년);3차는 1989. 2. 20.~ 3. 30., 보고서는『雲住寺Ⅲ』으로 간행(1990);4차는 1989. 9. 18.~11. 14., 보고서 는『雲住寺Ⅳ』로 간행(1994).

4) 성춘경,「운주사의 천불천탑」, p.140.

5) 關野貞, 앞책, p.119.

6) 정영호, 불적조사보고(Ⅰ. 개관),「운주사」, 전남대학교 박물관, 1984, p.19.

7) 박경식, 앞글, p.7.

8) 박경식, 앞글, pp.14~18.

9) 신영훈, 불교신문 1989년 4월 5일자, 1246호.

10) 박태순,「화순 운주사 천불천탑 이야기」,『월간중앙』 1989. 1월호, p.488.

11) 신영훈, 앞글.

12) 고유섭,『한국미술사 및 미학 논고』 통문관 간, 1972. p.49 및『운주사』, 전남대학교 박물관, 1984, pp.168~169.

13) 문경화,「천불신앙에 바탕한 전통적 불교사찰」,『주간미술정보』 36(1989. 5. 20.) 에서 인용한 문명대 교수의 언급 참조.

14) 힐트만, *Miruk—Die Heiligen Steine Koreas*(미륵—코리아의 성스러운 돌), 1987(앞 박태순의 글에서 재인용).

15) 홍윤식,「고려시대 운주사불적의 성격」,『擇窩許善道先生停年記念 韓國史學論叢』, 일조각, 1992, p.1063.

16) 최완수,「운주사」,『명찰순례』 2권, 대원사, 1994.

17) 전남대학교 박물관,『운주사종합학술조사』, 1991.

18) 운주사의 석탑과 폐탑의 위치와 현황에 대하여는 필자의 글인 「운주사 석탑의 조형 특성에 대한 고찰」(운주사종합학술조사, 전남대학교 박물관, 1991)에 자세히 밝혀져 있다.

19) 진홍섭, 「이형석탑의 일기단 형식의 고찰」, 『고고미술』 138·139호, 한국미술사학회, p.109.
송기숙, 「운주사 천불천탑 관계 설화」, 『운주사종합학술조사』, 전남대학교·박물관, 1991, p.350 ; 이준곤, 「비보설화의 고찰」, 전남대학교 박사 과정 기말 보고서, 미간행.

20) 운주사 석탑에서 백제 석탑적인 의장 요소가 다분히 나타난다는 사실에 대해서는 이미 성춘경과 박경식이 거론한 바 있고 필자도 「백제계 석탑의 구성요소 분석에 관한 연구」(대한건축학회논문집, 1990. 2월호)에서 밝힌 바 있음.

21) 허흥식, 「13세기 고려불교계의 새로운 경향」, 『한우근 박사 정년기념 사학논총』, 지식산업사 ; 「불교계의 새로운 경향」, 『고려불교사연구』, 일조각, 1986, p.455~458.

22) 「도선국사실록」, 『朝鮮寺刹史料』 上, p.211. 이 기록은 한말에 쓰여진 것으로 사료로 서의 가치는 적지만 이 지방의 산천비보사상과 관련된 불교 신앙의 흔적을 보여 주고 있다.

23) 김남윤, 「운주사의 역사적인 배경」, 『운주사』, 1984, p.105.

24) 황수영, 「연가7년명금동여래입상」, 『한국의 불상』, 문예출판사, 1989, pp.170~173.

25) 野村孝文, 앞글 참조.

26) 『朝鮮古蹟圖報』 권7, 조선총독부 간, 1920, 도판 3184.

27) 강우방, 「한국비로자나불상의 성립과 전개」, 『미술자료』 44, 1989. 12월, p.62.
강우방은 앞글 p.62에서 오른손이 약간 더 크고 왼손보다 조금 더 올라간 것으로 보아 지권인의 정통적 자세라고 지적하고 있으나 이는 옷주름 간격의 차이와 기울기 에서 오는 시각적 착각일 뿐 거의 같은 높이여서 이것만 가지고 단정하기에는 설득 력이 부족하다.

5층석탑의 겨울 풍경 면석을 다듬지 않은 납작한 돌을 썼으나 조형미가 아름답다. 일명 거지탑이라고 불린다.

빛깔있는 책들 103-35

운주사

초판 1쇄 발행 | 1994년 9월 30일
초판 7쇄 발행 | 2007년 8월 30일
재판 1쇄 발행 | 2013년 9월 30일

글 | 이태호, 천득염, 황호균
사진 | 유남해, 황호균

발행인 | 김남석
편 집 이 사 | 김정옥
편집디자인 | 임세희
전　　무 | 정만성
영 업 부 장 | 이현석

발행처 | (주)대원사
주　소 | 135-230 서울시 강남구 양재대로 55길 37, 302(일원동 대도빌딩)
전　화 | (02)757-6717~6719
팩시밀리 | (02)775-8043
등록번호 | 등록 제3-191호
홈페이지 | www.daewonsa.co.kr

값 8,500원

ISBN 978-89-369-0157-8

잘못 만들어진 책은 바꾸어 드립니다.

빛깔있는 책들